новая серия

Азбука здравомыслия

ВЛАДИМИР ЛЕВИ

СЕМЕЙНЫЕ

ВОЙНЫ

с рисунками и стихами автора

издательство
Метафора

Москва
2003

УДК 159.9:316.356.2
ББК 88.5
   Л36

Адрес: 103001, Москва, ул. Малая Бронная, 28/2
Издательство «Метафора». Телефон (095) 202-48-58

Леви В.Л.
Л36   Семейные войны. — М.: Метафора, 2002. — 224 с.:
        ил. — (Серия «Азбука здравомыслиЯ»).

        ISBN 5-85407-007-3

                                УДК 159.9:316.356.2
                                ББК 88.5

Продолжая «Травматологию любви», известный психотерапевт и писатель Владимир ЛЕВИ создал новую книгу — о душевных травмах и конфликтах в семье; о лечении отношений; о поиске, сбережении, возвращении и обновлении семейного счастья. Жизненное руководство, поддержка, конкретная помощь — для женщин и мужчин всех возрастов.

У вас в руках первая книга «Семейные войны»; продолжение следует...

Главный редактор: О.С. Копылова

Все права защищены. Никакая часть данной книги не может быть воспроизведена в какой бы то ни было форме без письменного разрешения владельцев авторских прав.

ISBN 5-85407-007-3   © Издательство «Метафора», 2003
                                © В.Л. Леви, 2003

Путь к счастью еще не найден?
строки книги —
тропинки, ведущие к Главной Дороге

**Счастье сбилось с пути,
заблудилось?**
здесь найдешь карту местности, пункты
энергопитания, надежных проводников

**Счастье потеряно,
счастье умерло?**
не спеши с приговором —
бывают и чудеса воскрешения...

Содержание

увертюра

Два берега Бесконечности: смысл семьи

> *Шаг мой один –*
> *что ведает он о Пути?*
> *Что ведаю я?*
> *Тайша*

Одинокими не рождаются. Одинокими только живут. Одинокими умирают. Но не рождаются одинокими, нет, нельзя одиноким родиться, не выйдет.

И само Одиночество никого не рождает.

Родиться можно только в Семье. Пускай странной, на себя не похожей, пусть мимолетной, почти не бывшей, не состоявшейся — но в Семье.

Только в Семье лепится человек из генов и духа.

Семья же лепится троицами: из предсемьи двух существ — третье. И дальше, и дальше... Родился — значит, сомкнул в семейную троицу предсемейную пару. И если даже уже при рождении стал сиротой — все равно он был в Замысле, сокровенный миг, когда ты был в Семье и Семьей, и миг этот в тебе навек...

Одинокими не рождаются.

Одинокими только становятся.

Одиночество — мост между Жизнью и Смертью.

Движение — в обе стороны. Смерть и Жизнь, два берега Бесконечности дают тебе смысл, они поддерживают и влекут тебя, Одиночество.

А та точка на берегу Жизни, куда ты, Одиночество, входишь и откуда выходишь, та первоточка, где умираешь и где рождаешься, — это и есть Семья.

Каждая Семья — шаг, отмеряющий единичный отрезок пути неохватимого памятью и разумением совокупного существа по имени РОД.

Смысл шага — Путь, о котором сам шаг понятия не имеет. Смысл Семьи — движение родового жизнепотока, о коем Семья может иметь лишь миф, в лучшем случае милый миф... И как каждый шаг бега или ходьбы есть и взлет, и падение, так и шаг рода — Семья — и соединяет нас, и разъединяет, оправдывая наши одиночества и испытывая на прочность...

> *Я брошен в жизнь, в потоке дней*
> *Катящую потоки рода,*
> *И мне кроить свою трудней,*
> *Чем резать ножницами воду.*
> *Б.Пастернак*

Любовь, одна лишь птичка-Любовь, если только жива и поет в клетке под названьем Семья, соединяет несоединимое и примиряет непримиримое.

Одна лишь Любовь делает Одиночество Общностью, не уничтожая его — одиночество бессмертно, оно и есть смерть, — но волшебно преображая

в божественное ВСЕБЫТИЕ

...Эта книга, продолжающая «Травматологию любви», основана на многолетней и продолжающейся практике семейной психотерапии и психологической помощи. Когда общаешься с человеком, даже одиноким как перст, всегда общаешься и с его Семьей — бывшей ли, будущей ли; той, которая есть в этом реальном мире, или той только, что пребывает внутри...

С чего же начинается Семья? Не с постели и не со штампа в паспорте. Не со свадьбы и не с ребенка как билогического продукта.

Со встречи двух душ, сказавших друг другу:

ПРИВЕТ, ЭТО МЫ!...

Консилиум: представление

Владимир Леви (ВЛ). Здравствуйте, друзья! Это я, автор, ВЛ

Это самоизображение будет время от времени подтверждать мои появления.

Позвольте теперь представить и собеседников: на сей раз у нас целый Консилиум — совет специалистов по семейным и около-семейным вопросам.

Визитной карточкой каждого будет тоже изображение в моем исполнении. Начнем с милых дам. Прошу любить и жаловать: Анна Романовна Туманова (АРТ), доктор медицинских и психологических наук. Многие годы совместной работы позволяют мне уверенно просить ее быть нашим со-консультантом по семейным проблемам женщин, а почему именно женщин, скажет сама Анна Романовна.

АРТ — Когда я училась в Первом московском мединституте, ныне медакадемии (это первое мое образование, второе — психологическое), лекции по акушерству и гинекологии нам читал величайший знаток женщин, знаменитый профессор, академик Константин Николаевич Жмакин, потрясающий специалист и фантастический педагог, истинный артист своего дела. Знакомился с новыми студентами он всегда так: влетал в аудорию, словно аист на белых крыльях — раскланива-

Анна Туманова — ВЛ

ясь, пританцовывая, развевая полами ослепительно чистого халата — высокий, гибкий, с сияющей лысиной и белозубой улыбкой. После нескольких секунд беззвучной пантомимы делал следующее заявление с акцентом на звуке «ж»:

«Здравствуйте, уважьжяемые, моя фамилия Жьмакин, моя специальность жьженщина. Возражьжений нет?.. В таком случае, запишите, пожьжялуйста, что такое жьженщина. Внимание, я прошу установить торжьжественную тишину. Внимание!.. ЖЬЖЕНЩИНА - ЭТО ЖЬЖИЗНЬ! А жьжизнь - это жьженщина. Возражьжений нет? В таком случае позабудьте слово «гинекология». Хотя оно означает то, чем мы с вами сейчас займемся, а именно жьженоведение, но берет предмет в слишком узком ракурсе. Жьженщина состоит не только из половых органов, это я, академик Жьмакин, вам говорю. По латыни жьженщина будет «фемина», вкусно звучит, не правда ли?.. Ну так вот, наша с вами специальность называется «ФЕМИНОЛОГИЯ»! В учебниках этого термина нет, так жьже как и точного перевода — да-да, жьженоведение, уважьжяемые, жьженоведение, и да здравствует жьжизнь!..»

ВЛ — И я помню Косточку Жмакина, как мы его звали, примерно таким вот. Веселый был дядечка.

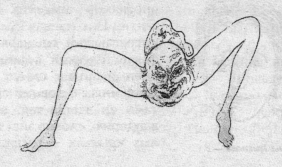

АРТ — Избрав специальностью феминологию, после многих лет работы в женской консультации, я стала вести прием в консультации семейно-психологической. Феминология — наука о половине человечества, и практически требует такого же знания мужчин, как и женщин, — во всех подробностях и на всех уровнях, а иначе как помогать?

Мужчина — ведь тоже жизнь, и еще какая! Женщина, желающая быть Настоящей Женщиной, просто обязана стать квалифицированным мужиковедом!

Таня Саторина — ВЛ

ВЛ — Позвольте представить: уже знакомая нам по «Травматологии любви» Татьяна Юрьевна Саторина (ТЮС), социолог, журналист...

ТЮС — ...и вечно начинающая студентка мужиковедения, в третий раз новобрачная.

ВЛ — Во время наших диалогов вы были в другом гражданском состоянии. Поздравляю.

ТЮС — Спасибо, я от себя этого не ожидала... Вообще-то я всего лишь профессиональная задавальщица дурацких вопросов. И сразу спрошу: а что наша маленькая компания будет делать в вашей новой большой книге?

ВЛ — Книжица-то маловата будет для столь необъятной темы... Будем рассматривать разные случаи из семейной и возлесемейной жизни — делиться опытом и личными мнениями; будем стараться помогать обращающимся; будем спорить, смеяться, думать...

Знакомьтесь, пожалуйста: это ваш коллега Георгий Игоревич Дарин (ГИД), вместе со мной занимавшийся «Приручением страха»...

ГИД — ...и вспрыгнувший на подножку «Вагона удачи». Мое гражданское состояние, спешу заметить, в результате этого укрепилось.

Георгий Дарин — ВЛ

ВЛ — Состояние человека бывает еще физическим, психическим, финансовым и так далее. Всеми вместе, во взаимозависимости, занимается мой коллега и давний соавтор доктор Кстонов Дмитрий Сергеевич (ДС), наново представленный в «Как воспитывать родителей».

ДС — Поскольку вакансии мужиковеда и женоведа уже заняты, притязаю на тихую должность ребенковеда. Семейное детоведение, идет?

ВЛ — Мне остается быть бабушкологом и дедушкологом. Не отчаиваюсь — как сказал мой друг, поэт специального назначения Халявин Иван Афанасьич, в голоске у каждой дочки нотки тещи, как цветочки, а как ягодки дойдут, тут и будет страшный суд...

Что же, к делу. Вперед!

ПРЕДСЕМЕЙНЫЕ КАТАВАСИИ

1

Обязательно женись.
Если попадется хорошая жена,
станешь счастливым.
А если плохая — станешь философом.

Сократ. Из беседы с учеником

❧

Чтобы мужиков с меня ветром не сдувало...
Мужчина, который не отпускает и не приходит
Он никогда не станет самостоятельным?..
Из практикума стервологии
Сомневаешься? Не женись.
Женишься? Не сомневайся.

...Приснился однажды сон, близкий к жизни: будто работаю с группой сотрудников на космической Станции Наблюдения в некоей туманности ЗабубУ... Миры в этой туманности устроены по семейному принципу: что ни отдельный мир, то семья, а что ни семья, то отдельный мир, вернее, мирок, имеющий в Космосе собственное пространство и время, собственные законы, скорости, массы...

Каждое новое Существо, рождающееся в одном из забубовых мирков, обречено либо оставаться в этом мирке до конца дней своих, либо в космическом кораблике, собственноручно построенном, выходить на поиск в открытое пространство и искать встречи с каким-нибудь другим ищущим Существом, чтобы вместе образовать очередной новый мирок.

Встречи происходят отчасти запрограммированно, отчасти случайно. Поисковые кораблики сначала стыкуются, это может происходить и быстро, и долго, и успешно, и безуспешно. В случае успешной стыковки образуется новый забубовый мирок, но еще не гарантия, что этот мирок уцелеет...

Многие распадаются — постепенно или взрывно — зависит это от Багажа, или Приданого, взятого каждым из мирообразующих Существ из своего прошлого мира на общий кораблик — совместимы ли Багажи во временнОй перспективе... И еще в большей степени от того, что с этими Багажами-Приданами мирообразующие Существа творят сами.

Задача Станции Наблюдения — предупреждение катастроф... Извините, сигналит: пришло письмо*.

* Письма приходят ко мне по обычной и электронной почте. Я редактирую их, доводя до читабельности и необходимого лаконизма. Имена пишущих и другие опознавательные знаки изменены. — В.Л.

Чтобы мужиков с меня ветром не сдувало...

В.Л., мне 23 года, учусь заочно, работаю, снимаю квартиру. Я симпатичная, неглупая, относительно общительная, чрезвычайно самокритичная, ленивая, но ответственная. Всю жизнь сражаюсь с двумя напастями: этой вот ленью и любовными страданиями.

На ваши книги наткнулась в 14 лет, борясь с не первой уже несчастной любовью и кучей комплексов. В 16 снова влюбилась в учителя нашей школы. Встречались, постепенно он отдалялся.. Терзалась, места себе не находила, но справилась. Потом были мужчины, которых я из-за страха, что они меня бросят, бросала первой. А в 22 года появилось желание завести детей, семью, встретить надежного человека и не пытаться ему все время нравиться, не бояться, что бросит..

Я из неполной семьи. Отец — алкоголик, деспот, жестокий, скупой, не хозяин слову. (Много раз обещал оплатить мою учебу в институте..) Несмотря ни на что, я его люблю. Когда мама с ним развелась, нам всем (у меня брат) стало легче, но страх перед всемогуществом мужчин остался до сих пор..

Познакомилась с Димой, ровесником, успевшим уже один раз развестись. Все было прекрасно, он так нежно и заботливо ко мне относился. Мне всегда хотелось, чтобы мой парень проявлял постоянную заботу обо мне. Так и было плюс тысячи слов, что хочет со мной семью и детей, пока..

Пока я не заболела. Острое воспаление придатков. Больница. Осложнения с печенью. Полтора месяца физических и моральных кошмарных мук..

Дима стал редко звонить, уехал в командировку, вернулся к Новому году, но якобы из-за работы не смог его со мной провести.. Я звонила, рыдала, пыталась уяснить степень его безразличия ко мне.. Наконец, он пропал без предупреждения. Я его разыскала, не поленилась. (Ведь я считала, что он был послан мне Богом за все мои терзания!) И убедилась, что меня БРОСИЛИ!

А потом осознала, что поделом. Я ведь даже не была уверена, любила ли его или просто пожинала плоды его ко мне трепетных чувств. Параллельно встречалась еще с 3-мя, один бросил меня точно так же.. С горечью поняла, что больше беру, хватаю, но мало отдаю, хотя считала себя чуть ли не альтруисткой.. Я думаю, Боженька меня за все наказал, я ведь и с женатыми встречалась..

Да, я склонна впадать в зависимость от мужчин, возводить их на пьедестал. Но мне так нужна была Димина поддержка именно в болезни, ведь на то близкие и любимые люди существуют, так они и проверяются..

Почему мужчины мною очаровываются, а потом разочаровываются?!

Я хочу перестать воспринимать мужчин, как воздух, и задыхаться без них! Хочу, чтобы хороших мужиков с меня ветром не сдувало! Как изменить ситуацию? Что мне делать? *Лена*

ВЛ — Письмо будто вчистую относится к любовной травматологии, семьи еще нет, но все пойдет и туда...

Из разбухшей папки «Предсемейные катавасии», где собирается все, с чем лишним люди приходят в семьи... И без чего нужного.

ТЮС — Девушка смахивает на меня лет до девятнадцати, когда я из состояния уж-замуж-невтерпеж-однако ж взяла крутой курс на самодостаточность и... Замуж полный вперед.

АРТ — Маятник оттянула, оставила результат... Мы, фемины, вообще антипоследовательный народ.

ГИД — Будто уж мы, ветром сдуваемые, шибко последовательны... А девушка, кажется, рокоборец*.

ВЛ — Прогноз кто-нибудь выдаст?

ДС — Девушка душевно здоровая, милая, с остатками наивности, и немалыми, с зачатками совести, немножко расшевелившимися.

Ясный запрос на прибавку внутренней свободы. Если помочь, может постепенно дорасти до зрелой трезвости в отношении к Сдуваемым Ветром. Замуж выйдет, и все будет хорошо, даже неоднократно.

АРТ — Неоднократное хорошо означает, что хорошо превращается в плохо, в этом и заковыка: «очаровываю и разочаровываю»...

ТЮС — Или очаровываюсь и разочаровываюсь...

АРТ — Это почти одно, и в чем тут фокус, какова связь с зависимостным движителем поведения, Леночка пока что не понимает.

---

*Рокоборец = Роковой Борец, широко распространенный психологический тип с проигрышным отношением к спектру жизненных вероятий — Фортуне. Противоположный тип — Баловень Судьбы. Подробнее см. мою книгу «Вагон удачи».

ГИД — Если не ошибаюсь, вы это называли недержанием отношений?

ВЛ — Именно так.

ДС — Девушка близка к пониманию связи своего внутреннего отцовского образа и зависимого отношения к мужчинам. Можно, значит, попробовать отъякорить скверного любимого папу от ожиданий по отношению к ветросдуваемым, и тогда их сдувать так резко не будет.

ТЮС — А как будет сдувать — постепенно, да?

ГИД — Ну допустим, как раз чтобы без суеты успеть бросить, пока не сдуло. Тоже ведь уметь надо.

ТЮС — Бросать, чтобы не успели бросить тебя, или цепляться, пока не отшвырнут... Уныло.

АРТ — Я задала бы Лене вопрос: а сама как думаешь, почему же этих мужчинок с тебя сдувает? Почему тебя бросил Дима?

Варианты ответов — потому, что...

➤ выбираю не тех, выбираю эгоистов...

➤ ... и Дима, как все мужики, оказался козлом...

➤ ...я перенапрягла его выражением своей сверхзависимости и принуждением к ответной зависимости — держала за горло...

➤ ... я раньше тоже вела себя с ним как сволочь, мотала душу и изменяла, он отомстил...

➤ ...программируюсь на неудачу; своей низкой самооценкой добиваюсь неуважения, переходящего в нелюбовь, дешевлю себя...

ГИД — При любом ответе девушка спросит: ну и как перестать так программироваться, как не быть такой и стать другой, как-как-как?.. И придется ей опять рекомендовать над собой по книжкам трудиться. А она спросит: а как, а не получается у меня. И придется вам еще для нее лично книжечку написать, а, ВЛ?

ВЛ — Ууу!..

ДС — Письмо Лены, как и многие письма наших читателей, написано на уровне девственной психологической наивности или, как мы говорим, из области Себя. История с Димой рассказана так, что на месте Димы мог быть и Коля, и Вася — ничего не изменилось бы — фантом, схема, а не живой человек. Ни одной черточки индивидуальности, живого характера, отличного от других. Ни малейшей попытки войти во внутренний мир иной стороны и понять ее движители, посмотреть на мир и себя из области Другого...

ВЛ — Мы уже отвечаем, продолжим?

Я коротко, Лена. Как изменить ситуацию? — Измени себя.

Если с тебя, как пишешь, хороших мужиков ветром сдувает, то либо они такие дистрофики, что и жалеть не стоит, либо ветер не тот...

Вылезай побыстрее из своего мужиколизма! И поставь пожизненную задачу: практически изучать как мужскую, так и женскую психологию, изучать бесконечно, открывая все новые глубины. Это нужно не только тебе. Это понадобится и твоим возлюбленным, и твоим детям и внукам...

Не западай на замужество, ведь само по себе оно еще вовсе не означает неодиночества, чаще даже наоборот — его обнажает и усугубляет.

Развивай свои интересы, расти душевно, умственно, карьерно и всячески, вставай на собственные ноженьки в жизни, ты все сможешь!

Не говорю: будь самодостаточной — но будь достаточной для противовеса несамодостаточности!..

Человек несамодостаточен, как всякое живое существо. Человеку свойственно стремиться ко Встрече со своей поло-виной, с которой вместе они и составляют Единого Человека, сиречь Семью.

И у тебя есть твой, пока неведомый Половин; у тебя много кандидатов на эту незанятую вакансию, знай это уверенно и живи с открытыми глазами, живи полной жизнью в своем Здесь-и-Сейчас: встречайся и расставайся смело, живи в поиске и потоке жизни. Счастье не программируется, счастье только возможно. Открытость возможному начинается верой, продолжается опытом, вершится — любовью...

Мужчина, который не отпускает и не приходит Упорно женатый недолюбовник

В.Л., как понять мужчину, который не отпускает и не приходит? Мы знакомы уже три года, и все это время я на привязи. «Главное — владеть, пользоваться не обязательно» — так он однажды сказал. Не про меня, но, наверное, про всё сразу.

Может не звонить месяцами, но просит, чтобы звонила я, ему приятно слышать мой голос. Много работает, бизнес.. Женат. Когда я сказала: «третий должен уйти», ответил: «я не хочу терять тебя».

Я не хочу примазываться к его браку и ничего не знаю о его отношениях с женой. Угрызений совести нет — он очень властный, всё решает сам. Предел моих мечтаний — нормальные отношения, быть хотя бы любовницей — я хочу, чтобы ему было хорошо, ведь для чего-то я нужна ему. Но для чего?

Перезваниваемся: «какдела какбизнес всенормальнонупока». Общаться за пределами этих слов по мобильнику невозможно, а на встречи у него нет времени.

Периодически — оптимистические впрыскивания: «вот потом когда-нибудь..» Может, у него интимофобия? Мой Загадочный Бизнесмен держит меня в черной депрессии, ощущаю себя неполноценной.. Я уже жалею о том, что я всего лишь женщина, так как быть ею не предоставляется возможным.. Очень жду совета, заранее благодарна. *Полина*

ГИД — Позвольте от имени Загадочного Бизнесмена ответить мне?

ВЛ — Нарисуете образ, а мы — штрихи...

ГИД — Полина, здорово же я тебя загипнотизировал. Я ведь чем с тобой занимаюсь, не догадалась еще? — Кукареканьем, то бишь пометкой своей сексуально-психологической территории и через то эмоциональной самоподдержкой. Каждый звонок — «кукареку» мое, и ничто более. Такова неутолимая потребность самца моего петушиного типа, притом уточняю: нереализованно-петушиного. Гарем нужен мне, гарем хотя бы виртуальный, а в каждом гареме должны быть действующие курочки и запасные — ЧТОБ БЫЛО, вот-вот, а пользоваться необязательно, эту мою ключевую фразу ты уловила.

Да не держу я тебя, живи себе!.. Это ты сама себя держишь, потому что пробудился в тебе рефлекс гаремной зависимой курочки, с тоской ждущей, когда же ее потопчут. Не я, так другой пробудил бы эту программку, потому что она В ТЕБЕ, понимаешь?.. А я только подтверждаю тобой мое драгоценное существование: КУКАРЕКУУУУУУУ!!!

АРТ — Вы уже все прокукарекали?

ГИД — В общем, да.

АРТ — Позвольте тогда насчет властности. Уверена, блеф. Такой вот Загадочный Кукарекунька, как правило, прочно сидит под железным каблучком своей бизнесвуменши, считающей себя Главной Курицей Вселенной, и чувствует себя там всего лишь цыпленком.

ВЛ — Где — «там»?

АРТ — Под каблучком. Под железным.

ТЮС — И никогда оттуда не выберется.

ГИД *(с ужасом)* — Никогда?!!..

«Он никогда не станет самостоятельным?..»

В.Л., мне 24 года. Уже почти пять лет мы встречаемся с Толей, сходимся и расходимся. В последнее время думаю, не выйти ли за него замуж. Вы наверное сейчас подумали, что я хочу заставить его жениться. А вот и нет!

Ему уже 25 лет. Живет с родителями и сестрой. Родители распоряжаются его временем, не учитывая, что у него уже своя жизнь. Мы оба работаем, в будни видимся редко, а выходные, естественно, хочется проводить вместе. Но в выходные и начинается: поехали, отвезешь нас на дачу, пошли чинить машину, делай ремонт на кухне.. А у меня тоже ведь есть для него задания: починить что-нибудь, помочь с уборкой..

В последнее время у него начались скандалы с родителями, однако он продолжает с ними жить, снимать квартиру для нас не хочет — жалко на это денег. Ему охота уйти от родителей сразу в свою квартиру, ездить на своей машине, а не на их..

21

Но сейчас денег хватает только на еду, одежду и минимальные развлечения. Я говорю: неизвестно, может, еще десять лет столько же будет. Что, будешь продолжать жить с мамой? Ездить на их дачу, ремонтировать их квартиру и их машину?

Моя мама сказала, что Толик по психологическому типу СЫН и никогда не станет самостоятельным. Неужели это так? В таком случае мне надо уходить от него: я хочу нормальную семью, ребенка родить, жить отдельно. Не хочу, чтобы мой муж всю жизнь бегал к маме. Действительно ли мой друг «мамин сын»? И есть ли шанс это исправить? *Наталья*

ВЛ — Одна из типичнейших предсемей почти всех времен и народов...

ДС — И уже вовсю полыхает война...

АРТ — Во всяком случае, предвойна, войска уже на позициях, минные поля все в растяжках. Прогноз так себе. Не потому, конечно, что предмуженек — «мамин сын», да и чьим сыном ему еще быть...

А потому, что предженка агрессивно-эгоистична, настроена на конфликт, на перетягивание каната.

«А у меня тоже ведь есть для него задания...» Просто орудие труда какое-то, а не человек, этот бедный Толик. Когти собственницы-манипуляторши так и торчат.

ВЛ — А любовью что-то не пахнет...

ГИД — Канат в перетяжке может и лопнуть. Из пятерых моих приятелей, оказавшихся в такой вот распятости между родительской семьей и своей новой, двое спились, один превратился в жалкого подкаблучника, один подался в плейбои и скурвился, а один не выдержал и покончил с собой.

ТЮС — Девушка интересуется, есть ли шанс сделать из маминого сынка зомбанутенького женатика?.. Отвечаю: есть, и очень большие. Из этого матерьяльчика они в основном и делаются. Молодой киске надо только уметь выжидать и вовремя перехватывать инициативу. Не тянуть к себе! — наоборот, подталкивать к старикам, грузить долгом не перед собой, ни в коем случае, а перед ними! — иди чинить им сортир, а я пока погуляю... Пусть, пусть они его достанут до десятой печенки, они, а не ты!..

А вот когда уж дотюкают до самого ай-яй-яй — скандалы-то уже начались, и не без твоего влияния — тогда и бери мягенько в коготки и приобщай к своему хозяйству. Не забывай после каждого вбитого гвоздика давать нобелевскую за самостоятельность!

ГИД — Таня, ну и психоайкидоистка вы, чувствуется школа Владимира Львовича...

ВЛ — Я тут ни при чем.

ТЮС — Меня учит жизнь.

АРТ — Столкновение интересов между старородительским гнездом и молодоженским — реальность, данная нам в обращение, суровый закон бытия. Молодухой руководит инстинкт продолжения рода и домостроительства, она возмущается утечкой энергии своего самчика в материнскую ракету-носитель, с которой пора ему уже по графику оторваться на собственную орбиту... А старичье цепляется за кровинушку, за уходящую опору своих холодеющих косточек, так мало им жить остается и так не хочется расставаться...

ТЮС — Все это вместе для молодого муженька и есть проверка на вшивость.

ДС — И что ж, уважаемые дамы, иного решения межгнездного противоречия, кроме войны, по-вашему, не имеется?

АРТ — Имеется, только при условии качественно иного уровня сознания с обеих сторон или хотя бы с одной. Наталья, представь: рождается у тебя сын, ты вкладываешь в него всю любовь, все физические и душевные силы... И вот вырастает сынок, и вдруг появляется, откуда ни возьмись, напористая девица и требует: «Сейчас же бросай мать, мамин ты сын!.. Или я, или мать». Он: «Я маму люблю... И тебя, и маму...» Она: «Ну тогда пошел вон, я другого найду. Не хочу, чтобы МОЙ муж всю жизнь бегал к маме».

ГИД — Наталья, не к бабе же! Не к чужой! К родной маме, к матери, которой и ты хочешь стать. И бабушка твоим детям еще нужна будет, помысли!.. Владимир Львович, что с вами, у вас насморк?

ВЛ — Я все внюхиваюсь... Не пахнет, увы, нет...

Перемена замка для французского чудака
из практикума стервологии

В.Л., мне 30 лет, Екатерине — 28. У каждого за плечами груз проблем, комплексов, расставаний..

Я инженер-компьютерщик и юрист, она переводчица. Внешне я непримечателен, невысок. Она красивая, стройная, длинноногая. Встречались по вечерам после работы.

Однажды я спросил ее: «А ты осознаешь, к чему мы идем? Я привяжусь к тебе, я влюбчивый, как будем расставаться?» — «Да ты что, это все потом, разберемся..»

После этого разговора была ночь страсти.

И еще несколько месяцев: день на работе, а вечер и ночь только она и я. Никуда не выходили, занимались любовью.

В конце лета отправил ее в отпуск к родителям. Вернулась чужой. Призналась — встретилась с бывшим мужем, ездили на море. «Пойми, это же мой первый мужчина, я с ним до тебя спала и сейчас спала, ну и что с того?»

Начала встречаться с другими мужчинами. Я: «Если спишь с кем-нибудь, оставь меня». — «Ни с кем, интересно просто общаться. Хочу за границу съездить поработать».

Я помог ей оформить загранпаспорт, научил, как себя вести с руководством, чтобы отправляли в загранкомандировки. Купил квартиру, обустроил, предложил жить вместе. Придет, поживет, исчезнет. Опять придет..

Однажды призналась: «Хочу замуж за иностранца. Хочу уехать». Я: «Зачем, разве здесь жить нельзя? Здесь же дом наш». — «Мудак ты с двумя высшими образованиями. Ничего не имеешь и не будешь иметь в этой стране. Никем был, никем и останешься».

Начала переписываться с иностранцами, показывала мне их письма и фотографии. Я психовал, а она смеялась: — «Ты что, ревнуешь? Вот интересно, а ты мне кто?»

Съездила на пару недель к кому-то во Францию. Вернулась: не понравился. Стала мрачной, закрытой. На мои вопросы «зачем ты со мной живешь», отвечала: «Для здоровья. Нужно же с кем-то трахаться». Я: «А про меня ты что думаешь? Я-то ведь не вибратор, я живой человек».

После таких разговоров пропадала, но редко надолго. Каждый перерыв в отношениях я переживал тяжело, заболевал. Она возвращалась с той же регулярностью, что сбегала. Заметил один верный признак ее скорого исчезновения: учащенное посещение церкви. — «Зачем, ведь в Бога веришь не очень». — «Свечки ставлю, молюсь, чтобы все получалось. А вдруг Он все-таки есть..»

Весной (..) года истерика: уезжает замуж сверхсрочно. «Дай денег и помоги собраться». — «Как, за кого?» — «Коммерсант в Бельгии, магазин у него, почему ты не рад, что у меня будет семья?» Посадил в поезд, вернулся разбитым, уехал оклемываться к родителям, работал в саду..

Вдруг возвращается — и опять ко мне, и опять взрыв любви, и все потрясающе, я просто обалдел от ее страстности.

Вскоре попадает в автоаварию.

Переломы, травма головы и лица. Два месяца сидел с ней в больнице, ухаживал, кормил с ложечки. Из больницы привез домой вместе жить. В спецсанаторий отправил. Прошел срок путевки, а ее все нет. Загуляла.

Через некоторое время приезжает здоровая и опять чужая. «Там вокруг столько интересных людей было, а ты такой скучный. Столько было классных мужчин.. Не-не, ни с одним даже не трахалась.»

Я ее так ждал и сказать хотел, что хочу свадьбу нашу, хочу ребенка..

Опять за прежнее: какие-то недомолвки, звонки за границу.. Под Новый год: «Уезжаю». Куда, зачем — не спросил, посадил в такси, упал на диван с температурой 39, так и встретил Новый год больной и один..

Перешел на другую работу, грязь по уши — арбитражные дела — но лучше оплачиваемую.. Тут и Екатерина вернулась. Ночью приходила поздно и сразу спать. «Где была?» — «А тебе-то что?» Общение нулевое.

Стал много читать. «Делать ему нечего, книжечки читает! Жить надо!»

Скандалы на ровном месте: все для нее не так, страна плохая, жизнь никакая. Я: «Мы же вместе. Хочешь, оформим квартиру на тебя?» — «Мне нужна отдельная». — «Зачем?» — «Не люблю готовить, я плохая хозяйка. Найди жену хорошую, а я буду приходить в гости».

Наконец, очередное «ухожу». Легла спать пораньше и меня в койку, ночь страстная. Утром в церковь. Вернулась — приготовила классный обед. «Уезжаю, а ты женись на хорошей бабе, чтобы готовила тебе вкусно».. Начинает собирать вещи. Я: «Все, это навсегда, отдавай ключи». Со слезами собирается, но ключи не отдает. Истерика. Обнимаю, успокаиваю. Вдруг смех: «Да у меня три копии твоих ключей есть! На!» Отдает ключи и уходит с частью вещей.

Через пару месяцев приходит за остальными. Веселая, спрашивает как дела. Вру: «Прекрасно» — мгновенно исчезает веселость, забирает вещи, уходит. «Уезжаю во Францию, поживу, может, выйду замуж. У нас с тобой все равно ничего не получится, мы разные». — «Зачем же со мной жила?» — «Ты хороший, вот и жила. Ладно, мне пора».

Через неделю не выдерживаю, звоню.

«Давай сначала, давай ребенка родим, это обычный кризис на седьмом году жизни..» Стена. На работе к телефону не подходит. Вылавливаю в общаге — шипит с порога: «Что надо? Пошел отсюда. Козел! Лох! Потеряла с тобой шесть лет жизни, ненавижу тебя!»

Рвался к ней несколько раз, плакал, просил.. Она: «Пошел вон! Зациклился! Заколебал! Хватит мозги компостировать!»

Уехала. Узнаю: да, во Францию, любовь с первого взгляда, вдовец, 40 лет, четверо детей, вилла на берегу моря, сказка..

Вот и все. Я в ауте. Понимаю: дурак, слепец. Сердце болит. Что-то нашептывает, что Екатерина может опять вернуться. Копия ключей у нее, не одна даже.. Как все это осмыслить? *Андрей*

ГИД — Осмыслить? Было бы чем... Я имею в виду здравый смысл. И исконное свойство стервы: способность начисто его отшибать. У кого угодно.

ТЮС — Ну не совсем у кого угодно. Как особь, отчасти принадлежащая к указанному подвиду...

ГИД — Другой подвид человекопитающихся имеет другой пол. Показать вам диплом мерзавца?..

ВЛ — Коллеги, прошу к делу. Вчера у меня был парень того же типа с историей, похожей как близнец. Высосанный, раздавленный. И еще многие сотни и тысячи точно таких же — бывали и будут...

АРТ — И с другого пол-юс-а симметрично идет и к вам, и ко мне, и к кому попало точно такое же

28

множество высосанных женских особей. И тоже сердца у них болят и здоровье усиленно портится.

ТЮС — Я читала, что женщины, повышенно зависимые от мужчины и подвергающиеся им третированию... Забыла, каким страшным научным словом это называется, когда тебя манят пряничком, изредка дают откусить, и в грязь втаптывают, и мордой об стол...

ДС — Фрустрация.

ТЮС — Ну так вот, бедняги эти, фрустрашки, имеют повышенный риск женской онкологии, это правда?

АРТ — Жизнь в постоянно отрицательных ожиданиях подавляет и защитные силы организма, и инстинкты продолжения рода, и органы, их осуществляющие. Скоро ли, долго ли, у фрустрашек и у фрустратиков начинают брать перевес силы саморазрушения...

ГИД — Андрей, радуйся, что удрала твоя Катька рогами украшать и высасывать французского мудака — а тебе повезло: хоть рогов и набрал выше крыши, успел избежать инфаркта, алкоголизма, какой-нибудь роковой автокатастрофы или банального самоубийства. Скорей поменяй замок!

ДС — И не только дверной. Мозговой. Это посложней будет, отмычки у стерв больно уж подходящие. Пройди срочный курс стервологии...

ТЮС — Практика, по-моему, уже сполна пройдена, зачет ставить можно...

ДС — ...и оставлять на второй год. Чего стоит голая практика без понимания, мы как раз на этом примере хорошо видим. Иммунитет у парня уже подсел.

ГИД — Велика ли разница, принимаешь наркотик понимая, что принимаешь, или не понимая? Все равно та же тяга и те же ломки, та же зависимость. И здравый смысл, даже если семи пядей во лбу, все равно бессилен, потому что воля, его рука, направлена против него с точностью до наоборот.

АРТ — Все-таки лучше знать врага, чем не знать.

ВЛ — Враг — не стерва и не стервец, не мерзавка и не мерзавец. Враг — твоя слепота, некритическая внушаемость, зависимость и готовность к зависимости.

ТЮС — Это все прямо на физиономии и на остальных частях тела у человека написано сияющими далеко вокруг буквами. В метро, на улице через одного подставляются, пестрят объявлениями: хочу быть рабом у стервы похлеще, хочу быть употребленной мерзавцем покруче...

ДС — Второй постулат стервологии состоит в том, что всякая стерва есть человек и того не более.

ТЮС — А первый?

ДС — Первый — что всякий человек есть некоей частью животное. Хищное и вонючее, вроде хорька.

Не надо демонизировать сволочей. Стервы и стервецы — просто обычные эгоистические детишки, вооруженные психовычислительными компьютерами повышенной мощности. Стоит заметить, что свою собственную психику эти эгокомпьютеры вычисляют слабо, запутываются в самопротиворечиях...

АРТ — Екатерина уже наверняка и душевный, и гинекологический инвалид. Внутри у нее раздрызг, война побуждений. Свою сексуальность использует и как собственный наркотик, и как наркотик-приманку, средство манипуляции мужчинами — это уже признаки психологии проститутки... Мечется, ищет жизненное руководство, отсюда и беготня в церковь, хотя безверию и цинизму предела, кажется, нет. В лице сорокалетнего вдовца нашла себе богатого папочку.

ВЛ — И вряд ли удержится при нем: либо кинет, переметнувшись к новому персонажу, либо будет выставлена. Заменить мать четырем детям вряд ли готова. А впрочем, и чудеса бывают...

Андрей, тебе и впрямь повезло, но замки меняй!

Сомневаешься? Не женись. Женишься? Не сомневайся

В.Л., несколько лет назад в институте я влюбился в Ольгу, сокурсницу. Тогда я был типичным ботаником: толстый, неуверенный в себе очкарик, боящийся и глаза поднять на девушку. Она же была самой заметной девушкой на курсе, с кучей поклонников..

Долго не признавался ей, решил сперва поработать над собой, занялся спортом, сбросил 15 кг, стал вхож в ее компанию.

На последнем курсе мы встретились один раз без продолжения: я не произвел на Ольгу должного впечатления. Но не мог выбросить ее из головы, тянуло к ней.. Старался не терять ее из виду, поздравлял с днем рождения, с праздниками. Замуж Ольга не выходила, и я не терял надежды.

Сейчас я ведущий специалист крупной компании, хорошо зарабатываю, больше уверен в себе. Ольга знает о моих успехах, начала проявлять ко мне интерес и даже не пытается скрыть, что интерес этот вызван тем, что молодость уходит (ей 27), поклонников поубавилось, хочется иметь семью и детей, да и родители намекают, что именно я самая перспективная партия на данный момент.

Я же в сомнениях. Все еще люблю Ольгу, но надеялся и на ответное чувство, а не простой прозаический расчет на благополучие и стабильность. Меня сильно к ней тянет, но что-то внутри и противится.. Может быть, посоветуете что-нибудь? *Валентин*

ГИД — Не хотел бы я быть ни на месте просящего совет, ни на месте советчика...

ТЮС — Отчего ж?.. Будто сами в похожих ситуациях не бывали.

ГИД — Бывал, в том-то и дело. Ответственности невпроворот, риска немерено, неопределенности гора и маленькая тележка...

АРТ — Что же тут неопределенного? Он любит, она нет, но замуж желает. По статистике каждый второй супружеский союз составляет такая пара — брак Анны Карениной, пушкинской Татьяны и самого Пушкина; а каждый четвертый — когда она любит, а он нет: брак Жюльена Сореля, второй брак Достоевского... Остальные приходятся на любовь более или менее взаимную — и на взаимную, рано или поздно выявляемую нелюбовь. В движении, в колебаниях и метаниях... Все, иных вариантов в лотерее природы нет.

ВЛ — Остается лишь дать вероятностные прогнозы развития событий в нашем конкретном случае, не так ли, коллеги?

ДС — Учитывая, что и сам прогноз есть совет в наиболее внушающей, как бы нейтральной форме и колоссально влияет на ход событий.

ТЮС — Как говаривала моя тетушка, чего ждешь, то и жрешь?..

ДС и **ВЛ** (*вместе хором*) — В какой-то степени так.

АРТ — Хочешь не хочешь, а предстоит и что-то внушить прогнозом, если неопытный человек этого просит, а его собственный ум и воля, чувства и предчувствия между собой не в ладах...

Можно предоставить карту дорог, а Валентин пусть выбирает сам, по какой идти...

ВЛ — Дорога номер один: сделать предложение, получить согласие и жениться.

Плюсы: женишься по любви — жизнь наполнена до краев, любимая рядом, можешь ее узнавать всесторонне, есть надежда завоевать ее чувства, не сразу или не навсегда, но можешь, и эта надежда дает тебе стимул для самосовершенствования и развития. Трудный путь, достойный сильного человека.

ДС — Риски и минусы. Вступая в супружество без любви любимой, ты уподобляешься безумцу, отправляющемуся в кругосветное плавание без снастей и припасов, без карт, компаса и без опыта плаваний, в утлой лодчонке с одним веслом.

Ты не можешь заранее знать, сколь велик раскол между ее тревожным (а возможно и циничным) рассудком, привлекающим к тебе, и чувствами, от тебя отталкивающими или просто спящими... Что прочтешь в ее первом утреннем взгляде — благодарное начало привязанности, тошнотное отвращение, приторно-притворную сладость или ледяную жесткость хозяйки, заполучившей раба?..

Кто она в самом деле — Татьяна, которая «другому отдана и будет век ему верна», или Анна, обреченная на своего Вронского, а тебе уготована должность Каренина?.. Будешь жить на бочке, наполненной взрывной смесью вины, обиды и подозрительности, со взведенным курком ревности: а вдруг завтра за углом она встретит Его (скорее, ей так покажется) или будет пробовать на вкус одного за другим?..

ВЛ — Подумай, поднимешь ли груз отношений, в которых заранее вынужден доказывать свое право на бытность самим собой? Лишь любовь дает это право даром, бездоказательно; но и любовь — аванс...

ГИД — Валентин, ты, наверное, уже принял решение, догадываюсь, какое...

ТЮС — Стоп-стоп, вопросы еще остались. Сказано же давно: «Сомневаешься? Не женись! Женишься? Не сомневайся!»

ГИД — А еще сказано: «Учти, дружок, начав прыжок, не прыгай вполовинку...»

Каковы шансы, что из нелюбящей невесты получится любящая жена? Бывает ли так?

АРТ — По собственному опыту: да, бывает. Я полюбила своего мужа, верней, поняла, что люблю, где-то между третьим и четвертым годом нашей жизни, уже после того, как у нас родился второй ребенок. И не потому, что мой Саша стал каким-то другим, хотя он, конечно, менялся, двигался по собственной дороге развития... А потому, что сама я дозрела до любви, дозрела и прозрела. Помогла тому, как бывает нередко, сверхмощная встряска: несчастный случай. Саша попал в автокатастрофу, едва не погиб, долго был прикован к постели — вот тут меня и прошибло...

ГИД — Уточнить бы, какая любовь имеется в виду.

АРТ — Конечно, не девическое обожание и не юная страсть воспалившейся новобрачной, не хворост в печке. И не мамочкино сюсипуси. Открытие природненности — понятно ли говорю? Чувствознание: ты и он — «плоть едина и дух един».

ТЮС — Да, до этого только дозреваешь, но не со всяким. Либо не дозреваешь ни с кем...

ВЛ — Дорога номер два: не жениться. Развилка: расстаться или продолжать отношения.

Выбор «расстаться». Плюсы. Честность решения. Возможность начать сначала. Поблагодарив любимую за то, что она послужила «точкой сборки» души, освободить ее от себя как от выбора ложного, а себя от нее — как от выбора рокового.

ДС — Риски и минусы. Неизбежность ломки. Мука расставания может оказаться и тяжкой, и долгой, и рискованной для здоровья, и замораживающей душу и тело. Не знаешь, оттаешь ли когда-либо для нового чувства. Не будешь ли угрызаться потом всю жизнь. что не принял бой, не сразился за свое счастье, отступил без борьбы...

ТЮС — «Лучше жалеть о том, что сделал, чем о том, что не сделал?..»

ВЛ — Выбор: не жениться, но продолжать отношения. Множественные развилки: какие именно отношения, при каких условиях и куда ведущие?

Плюсы. Пока любишь, но судьбоносное решение еще не созрело, это вариант самый естественный. И ей, и себе оставляешь свободу выбора. Сохраняешь и некие шансы на возникновение у нее чувства к тебе.

ДС — Риски и минусы. Шансы эти трудноопределимы, и обеим сторонам легко принять желаемое за действительное. Напряжение будет расти. Если любимая спешит замуж, ее поезд может тронуться в любой миг, а ты останешься на перроне...

Здесь мы упираемся в энное число вопросительных знаков. Маловато сведений о биографии, характере и устремлениях девушки...

АРТ — Компанейская спортсменка с кучей поклонников, до 27 лет не побывавшая замужем и не имевшая ни одного серьезного романа... Психологические трудности есть, несомненно, а возможно, и сексуально-психологические.

ВЛ — Гадать бесполезно. Можно лишь пожелать самому Валентину в разговорах с Ольгой осторожно приблизиться к этим темам и попытаться что-то понять, а может быть, и помочь.

Это повысит искомые шансы...

Есть в жизни обманы, которые повторяются и повторяются, даже если ты выучил их как свои пять пальцев и ждешь как ежевечерних теленовостей...
Я всегда обольщаюсь дивно красивыми лесистыми склонами гор, я взбираюсь к ним, как загипнотизированный — зная отлично, что там, на месте, БЕЗ РАССТОЯНИЯ вся красота пропадет, будут только колючие заросли и булыжники, и того, что влечет меня, достигнув, я не увижу...
Что же влечет нас?.. Сам путь?..
Тайная сладость разочарования?..

✦✦✦✦

Неужели он истеричка?
Одинокая жертва приглашает палача...
Комплекс овцы
Характер, не совместимый с семьей

...И мы с тобой думали, что мы несчастные исключения, что кто-то над нами сыграл недобрую шутку... Никак не могли предусмотреть такой подленький закон-перевертыша: чем сильней тянет БЫТЬ вместе, тем тяжелее ЖИТЬ вместе...

Неужели он истеричка?

В.Л., мне 33 года, есть дочь 8 лет, уже второй раз пытаюсь устроить личную жизнь. Полюбила человека, полтора года встречались и прекрасно понимали друг друга, сейчас третий месяц вместе живем.

И вот за эти-то три месяца мы узнали друг друга совсем с других сторон..

Мой Алеша — чудесный, умный, мягкий человек. Но, как выяснилось, регулярно выпивает, склонен к истерикам и порой ведет себя, как злой эгоистичный ребенок.

Воспитывался без отца, позднее дитя, задушен маминой любовью..

Недавно мне признался, что каждую ночь во сне видит своих бывших одноклассников, которые над ним издевались. Я и раньше замечала, что он беспокойно спит..

Болезненно самолюбив. Часто старается меня обидеть, придирается, кричит, ведет себя точно как истеричка, размахивает руками, потом просит прощения, уверяет, что любит.. Иногда разговаривает сам с собой вслух.

У меня покладистый характер, есть опыт в сфере человеческих отношений, но начинает казаться, что мой милый просто нездоров. Мне бы хотелось помочь ему.. И себе. Помочь нам спасти нас от распада. Но как? *Галина*

ВЛ — Ответим сразу, вкруговую?

ТЮС — Галя, не огорчайся, обычная история — сапожник не то чтобы без сапог, но жмут сапоги, потому как хоть и выбирала, да не сама же шила... Личная заинтересованность всегда ослепляет — по службе знакомств слабачка такого ты, наверное, никому бы не предложила...

ДС — Истерички обоих полов — большие артисты. Очаровательны на сценической дистанции, но лучше не приближаться — разница между масочным позитивом и бытовым негативом огромна. Сейчас у вас как раз и пошла пора взаимного выявления негативов: карты на стол...

АРТ — Вот-вот, Галя, и как тебе открылись его черные карты, так и ему твои. А точней — не только и даже не столько твои, сколько его мамы, образ которой в его подсознании именно при совместной жизни начинает переноситься на твой, смешиваться и путаться... Придирается и орет, потом просит прощения, то плохой мальчик, то хороший... Это же ведь и есть непоследовательное самозащитное поведение сыночка сверхопекающей мамочки, и ты ему тоже даешь для этого какие-то основания!..

ДС — Тем более что тебе в семье уже приходится исполнять материнскую роль: дочка есть. Вот и муженек, похоже, попал в ролевую нишку твоего второго ребеночка, и ему в ней не очень уютно — уже потому, что от него-то ведь по табелю о рангах ожидается роль второго папаши. Внутренний конфликт налицо и, возможно, ревность. Об отношениях мужа-отчима с дочкой, как и о ее родном папе, ты ничего не пишешь... Сложности?..

АРТ — Совет: незаметным, но чувствительным образом — подтекстом поведения, интонациями предлагай мужу роль Старшего в вашей новой семье, и лучше даже не Отца-отчима, а Старшего Брата, причем не только для твоей дочери, но и для тебя тоже.

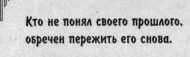

Кто не понял своего прошлого, обречен пережить его снова.

Джордж Сантаяна

Сама, когда вы с Алешей и с дочкой втроем, старайся чувствовать и вести себя по отношению к ней не столько как мама, сколько как Старшая Сестра, но Младшая по отношению к Алексею. Поняла хитрость?.. Если тебе это будет удаваться хотя бы на десятую, увидишь, как многое в нем переменится.

А в хорошие часы ненавязчиво спрашивай, как он себя чувствует в отношениях с твоей дочкой, комфортно ли ему. Спрашивай его мнения и советов почаще, проси о помощи — но ни в коем случае не требуй!..

И еще совет: постепенно и деликатно разузнай у него побольше о его матери и отношениях с ней, получи как можно более ясную и подробную картину его детства и юности. Характер матери и поведение сравни со своим — и не просто старайся не совпадать, но давай ему чувствовать, что не совпадаешь — и не по причине меньшей любви к нему, а по причине другой любви, качества иного, ты понимаешь?..

А когда будет начинать опять наводить тень на плетень, приостанавливай и ясно обозначай, с кем именно он общается в твоем лице в данный миг.

«Твоя мама, возможно, ответила бы тебе вот так (ее слова, интонации, жесты...) — похоже?.. А я отвечу вот так... Чувствуешь разницу?..»

ГИД — Сам с собой разговаривает Алешенька, эка невидаль. Посмотри на людей на улицах, в транспорте — звучно или беззвучно каждый второй разговаривает с собой. О своем родном, наболевшем. Больше ведь просто не с кем!..

ВЛ — А насчет его психического здоровья или нездоровья однозначно не торопись решать... И истероидное поведение, и алкогольная зависимость, и беспокойный сон — признаки постоянной душевной боли, язвы души. Я такие случаи определяю именно как душевную, но не психическую болезнь. И требуют они всего прежде душевной помощи...

ТЮС — Только вот чьими силами? Стать мамочкой-выручалочкой для инфантильного муженька-сыночка, психотерапевтом-жилеткой? Ковыряться в его комплексах, не разобравшись еще в своих и тем их всячески умножая?.. Переносить на себя все его несбыточные ожидания и разочарования?..

У меня это было уже, и такого «устройства личной жизни» никому не пожелаю...

ДС — Минуточку, друзья. Никто пока что не предложил Гале заменить для нового мужа ни маму, ни доктора, ни психолога-консультанта. Речь идет только о балансировании между *житейскими компонентами* этих ролей и прочих, которые мы так или иначе, хорошо или плохо, сознавая то или нет, все равно в семье исполняем. Речь только о том, чтобы исполнять их как можно свободнее, точнее, решительнее...

ВЛ — ...и веселее!

Если мышка — дочка кошки...

В.Л., мне 27 лет. У вас в книге «Нестандартный ребенок» описывается мальчик, который боится прихода матери. Это мой случай. У меня при звуке звонка или вставляемого ключа начинало буквально выпрыгивать сердце..

Мой папа погиб, когда мне было 4 года. Мы остались с мамой вдвоем, никто не помогал, она работала медсестрой на две ставки, ночные дежурства, я спала в ординаторской..

Вся мамина несладкая жизнь выливалась в ругань на меня. В конце концов я научилась во время ее монологов просто-напросто выключаться: стою с виноватым или вызывающим видом, смотрю в глаза, а сама не слышу, что она говорит, думаю о своем.

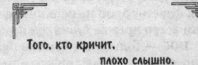

Того, кто кричит,
плохо слышно.

Свами Левикананда

Заполучила от нее коллекцию комплексов. Если девочке твердить: у тебя нет вкуса, не так одеваешься, не так смеешься, не так разговариваешь, большой нос — то потом трудно поверить, что можно жить..

После моей свадьбы мама сказала, что боялась меня «упустить», поэтому была такой жесткой. Она сама по-детски наивна и беззащитна, а со мной умудрялась быть и по-детски жестокой. Никогда меня не жалела, не давала и себя пожалеть, обнять..

41

> Враг занимает больше места в наших мыслях, чем друг — в нашем сердце.
>
> Альфред Бужар

Уже к 6 годам я РАЗУЧИЛАСЬ жалеть вообще. Я могла пожалеть куклу, котенка, себя, но людей жалеть не могу..

Когда мне было 17-18 лет, мама решила, что я уже достаточно взрослая, начала делиться своими проблемами. И тут выяснилось, что ко всему прочему я еще и равнодушная (по маминой оценке), хотя внутри у меня вихри, бури и ураганы.

С мужем повезло: он доказал мне, что я достойна любви, что я и красива, и даже относительно умна.. Но и с ним я не могу быть открытой и непосредственной. Где-то раз в полгода негативные эмоции прорываются наружу.. Муж молча выслушивает, спрашивает, почему я раньше молчала, и потом дня два-три ходит как в воду опущенный. И это дает мне повод молчать еще полгода.

В последнее время стала замечать, что начинаю выключаться даже на голоса мужа и двухлетнего сына. Это происходит особенно быстро и резко после телефонных разговоров с мамой, которая теперь живет одна и достает меня своими советами и упреками уже с расстояния в полгорода. Мне все кажется, что она вот-вот ворвется к нам в дом, заорет, и мое сердечко забьется и задрожит, как мышонок при виде кошки..

Что вы мне посоветуете? *Ирина*

ВЛ — Можно провести консилиум в стиле блиц — человек почти все главное понимает.

АРТ — Но еще не совсем верит, что можно жить.

ГИД — Выключки — это здорово, классная самозащита. Чего, собственно, паниковать? Мужу тоже, считай, повезло: теща на расстоянии.

ТЮС — Как сказать... Теща живет в жене — ведь от матери Ирина еще далеко не свободна...

ВЛ — И **тень** этой зависимости переносится и на отношения с мужем и сыном. Пока все благополучно, однако и риски есть...

ДС — Нельзя быть психологически свободной от матери, не бывает такого. И мать от дочки в огромной зависимости, никуда не деться. Реально для взрослой дочери лишь быть в состоянии **управлять** своей зависимостью от матери, и **только** своей.

ТЮС — А как, скажите?! Я тоже воспользуюсь.

ДС — Принять, что защитные «отключки» — дело правомерное и перестать виноватиться. Перед каждым маминым монологом стараться успеть мышечно освободиться, расслабиться, а во время самих монологов поглубже дышать. Как ни смешно — да и должно быть смешно! — здорово помогает! Наконец, не уставая, представлять себе маму маленькой, маленькой...

АРТ — Да, например, двухлетней, как сын... И еще: постараться мужу открыться, объяснить, что там у тебя внутри происходит и откуда...

ГИД — От его имени могу пообещать, что пойму и монологи длиной более трех слов «я тебя люблю» произносить никогда не буду!

43

Одинокая жертва приглашает палача...

Это письмо сильно сокращено. Не столько для ответа, сколько для размышлений. Впрочем, посмотрим, что скажет Консилиум...

В.Л., я на краю пропасти.. Ещё в школьном возрасте случилась у меня первая любовь, и все было хорошо, пока мальчик, с которым у нас было обоюдное чувство, вдруг не изменил мне.. С того времени я стала ожидать от отношений с противоположным полом только плохого, и так оно с железной неотвратимостью и происходило.

В кого влюблялась — тому не могла и слова сказать, а кто влюблялся в меня — быстро охладевал и бросал. В 9 классе чуть не изнасиловали в подъезде, остался страх на всю жизнь..

Вышла замуж скоропалительно, боясь, что никогда больше не встречу человека, который сделает мне предложение: этакий «синдром последнего курса». Родила двоих симпатичных ребятишек. Брак, основанный не на любви, продержался 13 лет, потом решили разъехаться. И до сих пор в моей личной жизни нет любимого мужчины. Много друзей, работа, дети, родители, полно увлечений, но нет любимого, и душа болит..

Чувствую, что никак не могу избавиться от комплекса жертвы, то и дело навлекаю на себя громы и молнии.. Недавно вот мой бывший муж избил меня при детях, будучи трезвым, но в дикой злобе. Теперь боюсь сойти с ума..

Как мне дальше жить? *Алевтина*

ГИД — Непонятно. Разъехались вроде, а он явился и избил, на трезвую голову, ни с того ни с сего?

ТЮС — Сказано: в дикой злобе был. Просто так вряд ли стал бы буйствовать, чем-то Алевтина по умолчанию взбодрила его.

ДС — Очень крепко взбадривает трезвых, но обиженных мужчин убедительно выражаемая нелюбовь плюс желание получить моральное оправдание за нее в виде, допустим, шишек и синяков.

ГИД — Когда женщина хочет чувствовать себя жертвой и приглашает мужчину на роль палача — устоять трудно, по себе знаю...

ТЮС — По себе знаю и обратное.

АРТ — Возможно, за все тринадцать безлюбовных лет человека наконец прорвало... Примечательно, что о характере, жизни и трудностях отца своих симпатичных ребятишек — все же не чужой! — Алевтина ни слова не говорит...

ВЛ — Вдруг даже просто заболел, «зъихал з глузду»?

ДС — Для ответа, «как дальше жить», явно недостает информации, но я бы посоветовала Алевтине постараться сообразить это самостоятельно, исходя из того, что они все-таки есть, симпатичные ребятишки, и хотят наверняка, чтобы мама была здоровой, уверенной и жизнерадостной, чтобы с папой был мир в любом случае, а значит, прощение...

АРТ — Алевтина, пора войти в ум, а не сходить с него, тогда придет и любовь. Жизнь без любимого мужчины (равно и женщины) не есть жизнь безлюбовная, если не сводить любовь только к полу...

Комплекс овцы

В.Л., мне 24 года, замужем. Я младшая в семье, мы с братом погодки, но синдром младшего ребенка крепко держит меня, хотя я вроде уже самостоятельная.. На меня бесконечно все пытаются давить, и я периодически устраиваю бунт, на что в ответ получаю: когда же ты повзрослеешь?

Моя мать боялась рожать меня, я была незапланированной, а брат был для нее всем. Родители в разводе, и мне всегда говорили, что я похожа на отца, а мой брат на мать. Я ненавижу свою внешность, ненавижу себя. Я как паршивая овца, от меня одни неприятности. При мне мать и брат могут попросить моего мужа «повоспитывать меня»..

Недавно купила себе пальто. Чего только не услышала от матери: и сидит не так, и цвет не тот, выкинула деньги на ветер.. Чувствую себя как нашкодившая собачонка. А мужа всячески опускаю, пытаюсь сделать ЕГО МЛАДШИМ братом, тиранить..

Сегодня мать позвонила мне на работу и в очередной раз отчитала, я разревелась. Почему они могут так легко достать ребенка из моей души, почему я поддаюсь, почему живу только с оглядкой на НИХ?

Что мне делать, как обрести уверенность?

Уехать в другой город, чтобы быть подальше от НИХ? *Леля (Елена)*

АРТ — Типичная ролевая инерция: застрял человек в детской рольке, и кажется, что все только и делают, что достают из тебя ребенка.

ТЮС — Замужняя дамочка, между прочим. Самой детишек рожать пора.

АРТ — Какое пора, инфантилизм-то куда девать? С ребеночком мать ее уже окончательно подомнет, задолбает, затопчет. Таких мамашек, что старшей, что младшей, никакому детенышу не пожелаю.

ГИД — Но ведь со стороны старших-то действительно противоречивое западло: держат Лелю за младшую, самоутверждаются на ней, упражняют инстинкт власти, провоцируют детские реакции и требуют: а ну-ка, взрослей!

Леля, ребенка из твоей души достают, потому что ты сама его подставляешь. И будут доставать, потому что ИМ это привычно и удобно, ОНИ при деле, они Альфы, а ты крайняя с другого конца, ты Омега. Другую роль пока не освоила.

ТЮС — Елена — хочу тебя назвать взрослым именем, — ну почему ты такая пассивная, такая страдающе-восприимательная овечка? Доска, на которой пишет свою фигню кто попадя. А сама?.. Ну разозлись же по-настоящему, круто остервеней, покажи ИМ кузькину мать!

ВЛ — «Почему» — отвечу за Лелю. Потому что зовут меня Подсознайка, видали куклу такую? Вроде неваляшки. Подсознание у меня работает в ответ на внешние раздражители, а сознание это отмечает как свершившийся факт. Вот и все.

АРТ — Сознания тут пока кот наплакал.

ТЮС — А муж, где же твой муж, Елена?.. Что за молчащая статическая фигурка? Он что, еще инфантильней, чем ты? Подпевает тещеньке? Или тоже из-под мамульки еще не вылез?

ВЛ — Если есть хоть малейшая возможность с любыми издержками удрать вдвоем подальше от родни годика на три-пять-восемь, надо это сделать решительно. Броситься в самостоятельные заработки и учебу, завести новых друзей...

ДС — Удрать?.. Ну конечно, и как можно быстрей. Только и в другом городе, и в другой стране достанет тебя младшесть твоя и зависимость, перенесется на любой новый человекообъект, если не обрежешь ты пуповинку свою сама.

В другую Вселенную удирать надо. В другую Себя. Только в Себе, девочка, ты найдешь ту Взрослую Женщину, которая сделает тебя уверенной.

ТЮС — Может, подскажете, доктор, где же ее конкретно в себе отыскать, эту Взрослую Тетеньку? Где она прячется? В каком месте? В глазу? В ухе? В носу? В тазу?.. Почему не вылазит?

ДС — Замечательные вопросы, даю ответ. Взрослая Женщина, Дама, Леди, Уверенная Госпожа живет и в названных вами местах своего тела, и во всех прочих, в какие только пожелает сама распространиться из основного помещения — головы. В глазу, да — если глаз ваш смотрит твердо, независимо и внимательно из-под верхнего века, слегка приспущенного, с нижним веком, слегка прищуренным...

В ухе, если ухо ваше хорошо вслушивается в интонации слабости и глупости окружающих, а интонации их наездов и наглости, впуская в себя, пропускает мимо души (лучше всего это делается с помощью внутреннего гротескного отзеркаливания, пародирования, при внешней невозмутимости)... Если нос ваш не виновато опущен, а горделиво приподнят и чуть брезгливо приморщен, вы тоже почувствуете себя неуязвимой, попробуйте!..

Вами был упомянут и таз, немаловажный этаж организма, особенно женского. О да, да! Таз Женщины-Госпожи должен быть величественно-свободным, покачиваться, как королевский фрегат на морской волне; должен быть совершенным по форме, как античная амфора, наполненная драгоценным вином; царственно-раскованным, как башенный колокол...

ГИД — Дмитрий Сергеевич, вы, однако, поэт.

ДС — Как писал наш общеизвестный коллега Козьма Прутков, о прелестях дамских иначе как пиитическим штилем говорить неприлично, в противном же случае разговор выходит о лошадях...

А еще я хотел сказать о гибко-играющей прямоте позвоночника; о развернутой покатости плеч; о лебедино-легкой посадке шеи; о гордой освобожденности грудной клетки с полетным дыханьем, несущим парящие крылья бюста...

ТЮС — Доктор, остановитесь!.. Неужто же все это можно извлечь только из собственного образа в собственной голове?

ДС — А откуда же еще?

бытность птицей
требует репетиции
каждый день начинай усильями
не ленись махать крыльями аккуратно
а не то есть риск превратиться
в кающееся пресмыкающееся —
неприятно...

«Но я не создан для блаженства...»
из коллекции характеров, плохо совместимых с семьей

В. Л., мне 36. Моя мама развелась с папой, когда мне было 5 лет. Воспитывала меня сурово, применяла насилие. Заставляла есть, заставляла убирать в доме (до сих пор ненавижу), заставляла отлично учиться. Лет в 15 я взбунтовалась, какой-то чёрт проснулся во мне. Из примерной отличницы превратилась в вечно прогуливающую всенепослушайку. Поступила в институт, на первом же курсе «залетела» и выскочила замуж. Уже к тому времени курила и попивала горькую (папа мой был алкоголиком). Родила дочку. Прожила с мужем полгода, развод был паучий.

Дочку я, конечно, любила, но больше всего мне хотелось гулять, влюбляться и танцевать на дискотеках. Домой возвращалась всегда неохотно.

С мужчинами не везло дико. Влюблялась бессчетно, сходилась быстро, и все мои избранники бросали меня, не сказав даже «до свидания». Второй муж однажды сказал: «Тебе не кажется, что дело в тебе? Не могут быть все мужики подлецами».

Я что-то гавкнула в ответ, но задумалась.

К тому времени выпивала уже круто, раз в месяц уходила в запой.

Помню, как пошла в церковь в отчаянии и попросила: «Господи, мне так одиноко, пошли мне друга». Через неделю нарисовался прекрасный парень, любовь была бурная и красивая (у меня всегда такая), через 2 месяца бросил. Потом ещё один, ещё.

Мне было уже 32, и однажды я опять зашла в церковь и попросила: «Господи, научи меня жить среди людей, я не умею». В этот же день мне попалась в руки книга Луизы Хей, которая перевернула мою жизнь. Потом еще очень много книг, читала запоем, тратила последние деньги, чтобы купить книгу.. Бросила пить, уже почти 3 года не пью даже пива, правда, ещё курю.

По психологическим пособиям передумала и переиграла свое детство, всё, казалось, почистила. И вот полтора года назад познакомилась через Интернет с мужчиной из Америки. Всё получилось случайно, стремительно, великолепно, я была влюблена, но без страсти, просто спокойное, тихое счастье. Не было этого ужасного страха, что меня опять бросят, я просто любила и уже от этого была счастлива. Скоро 5 месяцев как я здесь..

И вот какая-то пелена опять спустилась на меня, я перестала радоваться жизни. Не помню, чтобы за это время мне по-настоящему было весело.. С ужасом замечаю в моём муже те черты, которые так бесили меня в моих предыдущих мужьях..

Сегодня поссорились, и он спросил меня: «Может, тебе билет купить, мне кажется, ты несчастна здесь». И правда, не могу чувствовать, что это мой дом и моя страна, всё чужое.. Не хочу разводиться очередной раз, и дети не игрушки, чтобы играть их судьбами (у меня сын 7 лет и 17-летняя дочка). Кого я ищу? Мой муж прекрасный человек, если я не могу жить с ним, с кем вообще могу жить? Спасите мою семью! *Татьяна*

ТЮС — Видно, тезка моя из тех, кто и в раю будет несчастлив. А все из-за зависимости от мужиков. Если ставить в жизни только на мужика, можно смело заказывать постоянную койку в ближайшей психушке.

АРТ — Татьяна думает, что по книжкам уже поработала сама себе психоаналитиком, «прочистила» свое детство, освободилась и от материнских «черных карточек», и от отцовской шаткой наследственности. А на самом деле сделала только первый шаг в прихожую самосознания. Побуждения свои понимает слабо и не согласует между собой.

ГИД — А мне кажется, она просто... как бы поаккуратней сказать... Не создана для постоянства.

Двадцать лет подряд менять одного за другим и вдруг сразу остановиться...

ДС — Женщина не материнского типа: вопросы о своих детях не задает, озабочена в основном собой. Но «меняла одного за другим», в основном, все-таки не она, меняли ее. Из-за ее отрицательного поля, из-за негативного излучения, из-за внутреннего неуюта. Образцово-показательное недержание отношений. Поверхностность. Влюбляется, но не любит и не имеет опыта состоявшейся, развитОй любви. «Хорошо там, где меня нет» — все свое и доступное перестает интересовать, потому что не проникает внутрь и не созидает, а только пользуется.

ВЛ — Учтем еще, что «вечно прогуливающая всенепослушайка», тот самый проснувшийся черт — существо чрезвычайно жизнеспособное. А всего лишь пятимесячный срок жизни в другой стране, с ее требованиями адаптации, то бишь дисциплины и дисциплины, легко может повергнуть любого черта в депрессию, что и имеет место.

Татьяна, все сказанное не есть приговор.

Пора просто наконец повзрослеть и переменить ценности в духе зрелости. Перестать вглядываться в свои душевные потемки и отказаться от мифа под названием «счастье».

Зрелый человек отличается от незрелого тем, что не гоняется за счастьем, а строит для него дом — внутри и вокруг себя. И счастье является в открытую дверь, когда его не зовут и не ждут...

«Я пришла (в эту страну, к этому человеку, в эту жизнь...) не за счастьем, а за своею судьбой. Я пришла осуществить предназначение, мне еще не известное. Ради этого я готова пройти через труд, боль, тоску, что угодно. Я хочу многое узнать, многому научиться и кое-что сделать...»

Вот в этом духе настраивать себя каждое утро и каждый вечер, в этом посыле жить.

АРТ — И начать свой Жизненный Проект, в котором ты будешь заинтересованно действовать как человек, а не только женщина.

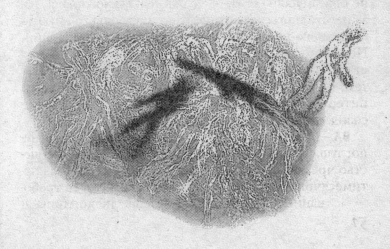

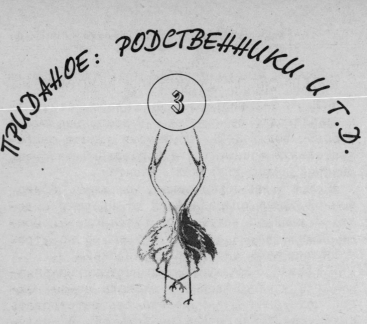

ПРИДАНОЕ: РОДСТВЕННИКИ И Т.Д.

3

Счастье — это когда у тебя есть большая,
дружная, заботливая, любящая семья
в другом городе.

Джордж Бернс

«Мое счастье приносит горе родителям...»
Я ревную мужа к его прошлой жизни
Теща-вампирша
Свекровь-алкоголичка
Зачем мой муж нянчит ребенка сестры?
С кем и зачем: люди, которых мы выбираем
Роскошная дача как личная неудача:
репортаж из-под каблука

«Мое счастье приносит горе родителям...»

В.Л., меня раздирает противоречие: то ли я неблагодарное чудовище, воспользовалась любовью родителей и по-хамски ушла в самостоятельную жизнь, то ли нормальный человек, имеющий право жить как нравится..

Я единственный ребенок, родилась болезненной, мама спасала меня от смерти, сидела со мной до четвертого класса дома. Помню, как меня наказывали ремнем, а по утрам я давала себе зароки быть хорошей..

Я играла с самыми хулиганистыми мальчишками, а училась хорошо, плакала из-за каждой четверки.. Очень хотела соответствовать ожиданиям, была очень правильной. В институте то же: отличница, и непрерывная сверхопека мамы. А дружить с сокурсниками не получалось. Бесилась от одиночества.

Наконец, начитавшись книг по психологии, решила стать более общительной. И получилось! Нашла компанию, в которой чувствовала себя по крайней мере не самой умной, там все были такие же одинокие ботаники.

У меня стали появляться молодые люди. Очень хотелось влюбиться.. И я нашла симпатичного бас-гитариста Гришу с грустными глазами. Была почти на все готова, потому что любила, а мама боялась, что пойдут дети и я брошу институт.

Наконец, под ее давлением я рассталась с Гришей и впала в депрессию. Маме не нравился ни один мой молодой человек, она их воспринимала ревниво: они не соответствовали ее светлому образу будущего зятя.

С нынешним мужем Валерой мы расходились с ее помощью..

И вот после института я нашла работу сама и сделала неплохую карьеру. Мы опять сошлись с Валерой и решили жить отдельно от

Когда ребенок подрос, для родителей самое время научиться стоять на собственных ногах...

Франсис Хоуп

родных, и его, и моих. Мама страшно обиделась: смысл ее жизни во мне, она не понимает, почему я больше не хочу, чтобы она главенствовала в моей жизни, по ее мнению, это означает, что я ее не люблю. Валеру ненавидит. Мужей, говорит, может быть много, а родители одни. Папа вторит как заводной, пожизненный ее подпевала.

Я раздваиваюсь. С одной стороны, хочу жить своим умом и делать свои ошибки. С другой — все родительские внушения, все страхи и сомнения во мне действуют, связь корневая. Долго не могла поверить, что буду счастлива с мужем, что люблю его, много раз порывалась сбежать. Только сейчас, через два года, понимаю, что это настоящее: с ним я могу быть собой и жить как мне нравится.

Но смогу ли? Мое счастье приносит столько горя родителям. Мама твердит, что я свожу ее в могилу.

От чувства вины и раздвоенности я стала больше болеть. Можно ли помочь, ведь мой случай не единственный? *Ася*

ВЛ — Разумеется, не единственный, Ася, а, к сожалению, довольно типичный и узнаваемый.

АРТ — Для однодетного гнезда с правящей клушей-мамашей такая ситуация — почти правило. И приходится птенчику либо вырываться из-под крылышек с боем, теряя перышки и здоровье (если не хуже), либо оставаться под крылышками пожизненно...

ГИД — Такая теща у меня однажды была, добром не кончилось... Да и мама почти такая. Неужели нет надежды этих клуш хоть как-то угомонить?

ВЛ — Пытаюсь это делать, но удается не часто...

ДС — А я не пытаюсь, работаю только с детьми. По этике не получается; нет у меня врачебной симпатии к родителям-душителям, тем паче вампирам.

ТЮС — И что же вы рекомендуете детям таких родителей? Родителей удушать и бежать?..

ДС — Можно не удушать. Можно и не бежать, если некуда. Да и куда убежишь от родителя, который внутри. А освободиться внутренне можно.

ГИД и ТЮС *(вместе хором)* — Как? Как?

ДС — Один из способов внутреннего освобождения от материнского давления, например, такой: называть мать и вслух и про себя *только по имени*, детским именем, каким звали ее родители. Результат: гипноз материнских эмоций и оценок потеряет свою власть, чувство вины сменится спокойным сознанием жизненной ответственности.

ТЮС — А слово «мама» постараться забыть?

ДС — Забыть — неестественно. Просто припрятать поглубже. Как имя Господа — не употреблять всуе...

Я РЕВНУЮ МУЖА К ЕГО ПРОШЛОЙ ЖИЗНИ

В.Л., три года назад я вышла замуж за мужчину, у которого двое детей от первого брака, 27 и 16 лет. У меня тоже 17-летний сын, живет с бабушкой.

Я ревную мужа к его прошлой жизни, детям и бывшей жене. Началось это еще с моего вопроса о том, родим ли мы общего ребенка. Он ответил, что стар для этого, пора думать о внуках. Все-таки решились, я забеременела. В это время муж продолжал ездить к своим детям на дни рождения, дарить им подарки.. Отношения у нас ухудшились. Я даже не могла смотреть на его детей, рвала фотографии.. Мне все время казалось, что я обделена.

Всю беременность муж терпеливо возил меня по больницам, пичкал витаминами, но ласковых и хороших слов никогда не произносил, пока я сама не напрашивалась. В роддом на выписку не принес цветов, мотивируя это тем, что у ребенка может быть аллергия, а из ласковых слов я дождалась только «Молодец! Спасибо!» Я очень обиделась. Муж, умудренный житейским опытом, воспринял рождение ребенка как нечто обыденное, требующее только затрат. «Ты что, Тонь, с чем же здесь поздравлять? Это ж такая работа! Вот будет год ребенку, тогда и отметим».

Приходя с работы, никогда не спрашивает, как у нас прошел день («будет что рассказать, скажешь сама»), но может часами выспрашивать свою старшую дочь, как прошел день у нее. А уж ее доклад о том, что она добралась с работы домой без происшествий (27 лет плюс гражданский муж в наличии!) вызывает у него бурю восторга, не идущее ни в какое сравнение с рождением ребенка.

На новогодье вдруг решил привести к нам младшую дочь. Утром звонок в дверь, на пороге девочка, а у меня грязнущая квартира, я нечесаная и неумытая. «Почему не предупредил?» — «Ты бы стала возражать». Потом долго объяснял, что его доченьке хорошо там, где он. В результате я напилась и наговорила мужу кучу гадостей. Теперь он заявляет, что его терпение лопнуло и хочет уйти. Самое интересное, что когда я остаюсь одна, мне очень хочется наладить отношения с его детьми, но как только они появляются, в меня вселяется непреодолимое зло..

Еще до нынешнего замужеств, а я 2 года еженедельно ходила к психологу, очень помогало. Помогите уговорить мужа посетить психолога. Помогите хоть как-то разрулить ситуацию! *Антонина*

ВЛ — Как думаем, шансы есть?

АРТ — Не густо.

ТЮС — Не представляю, чем можно такой... простодушной *(заменяю эпитет — ВЛ)* помочь. Разве что обратиться в бюро обмена мозгов.

ГИД — Любопытная организация, я бы тоже туда сходил. Адрес дадите?

ДС — Полноте, коллеги. Перед нами самая обычная женщина. Родила недавно, роды поздние, трудные, в таком положении поглупеть простительно. Примитивный инстинкт гнездового собственничества.

ТЮС — Но и муженек тоже хорош. «С чем же здесь поздравлять?..» Что у тебя, язык отнимется? Ведь ушам своим жена только и верит конкретно. Возьми диктофончик, наговори «люблю» на разные голоса и врубай через каждый час. Ночью буди и врубай! Ревность как рукой снимет, шелковая станет!

АРТ — Мужик золотой, детолюб, но толстокож зело, и этого у него не отнимешь.

Антонина, узнай: эмоционально нормальный мужчина, уходящий к другой женщине от своих детей, всегда испытывает тоску и чувство вины перед оставленными чадами, и это очень хорошо, это говорит о том, что у него и с совестью, и с отцовским началом порядок, так что и ты со своим дитем можешь быть спокойной. Не бросит, даже если дотюкаешь до того, что и вправду уйдет.

ВЛ — Антонина, поступай по своим чувствам с точностью до наоборот. Тащи его девчонок к себе, задружись с бывшей женой, составьте заговор жен! Соединяй и властвуй!

Теща-вампирша

В.Л., мою жену Веру мать воспитывала в духе долга перед родителями, постоянно твердит, что она ей обязана, тысячу раз обязана, что неблагодарная, что от неё куска хлеба в старости не дождешься..

В прошлом году мы прожили у тещи три месяца. Ужасное время: скандалы, претензии, обвинения в неблагодарности, в том, что живем неправильно.. После этого Вера полгода была в глубокой депрессии.

Мать ее с детства затюкала, задавила. После окончания университета Вера сидит дома, потому что считает, что не справится ни с какой работой. Чувствует себя неполноценной, всего боится, не верит в свои силы.

А сейчас теща, недавно перенесшая операцию удаления доброкачественной опухоли, опять требует, чтобы Вера ехала к ней помогать жить. У неё есть еще сын, живет с ней, но ни фига не делает, хотя мать в нем души не чает и во всем ему потакает.

Посоветуйте, как нам быть. *Николай*

ГИД — Не ехать.

ТЮС — Трижды не ехать.

АРТ — В терминах инфоэнергообмена: у тещи давняя вампирская установка на дочь, а любимый сынок — вампирчик вторичный, сосет матушку. В целом устойчивая системка. Сейчас старуха требует очередной порции...

ДС — Николай, а как насчет ваших собственных детей? Или домашних питомцев других видов? Вере это более чем необходимо, это спасительно...

ВЛ — Как и круг хороших друзей.

АРТ — От фрустраторши-обвинялки, вампирши-мамаши запросто не отделаешься, нечего и надеяться. Эмоциональная зависимость Веры от матери настолько чрезмерна, что ей безотлагательно необходим психотерапевт, и хорошо бы женского пола...

ВЛ — В крайнем случае и понимающий мужчина сгодится. Николай, я имею в виду именно вас.

Свекровь-алкоголичка

В.Л., моя мать — алкоголичка. На меня это давило с детства. Сейчас мне 32 года, 10 лет не виделись. Продолжает, не просыхает, опустилась совсем, ясно, что не изменится.

Два года назад я вышла замуж, человек очень хороший, я его люблю. Но представьте, оказалось, что и его мать пьет запойно. Муж с ней возится, приводит в порядок, заставляет кодироваться. Потом она долго извиняется: «Это в последний раз..»

Когда в очередной раз после пьянки она со слезами на похмельном лице бросилась к нам: «ребята, вы меня не бросайте, вы должны за меня бороться», я ее просто возненавидела. Бороться! За что?! Человек сам дурью мается! Я через все это проходила, моя мать даже не вспоминает про меня..

Меня раздражает, когда мой Митя тратит драгоценное время жизни на бесполезную помощь своей матери. «Мама в депрессии, ей нужно помогать, ее нужно воспитывать..» — «Да она взрослый человек!» — «Ты не понимаешь..» Ссоримся из-за этих разговоров.

Сейчас переезжаем в новую квартиру. Свекровь грустная. «Как буду жить одна..»

Митя старается ее поддержать. Вчера позвонил мне на работу: «Мать вся в печали. Может, я с ней еще поживу немного. Как бы не сорвалась в запой..»

И это после того, как мы два года вкалывали за квартиру!

Больно на душе, обидно, противно, не могу с этим справиться.. *Дина*

ДС — Перенос негатива на негатив с воспалением старой раны. И детская ревность, и моральный контраст: сама мать оставила, а муж со своей возится. Он хороший, преданный сын, а я черствая, я плохая?!.

ТЮС — Так и слышу возражение: «Это не я бросила мать, а она меня, зелье мне предпочла!» Две бабушки-алкоголички для будущих детей не многовато ли?

ВЛ — Есть между ними разница. Мать Дины — деградированный хроник с распадом, а мать мужа — запойница с депрессивным уклоном, душевно больна, но психически сохранна и цепляется за жизнь...

ГИД — В лице сына, которого вампирит как может. У одного моего друга такая вот депрессивно-запойная мама, вне запоев обаятельнейшая умница, успешно развалила два брака, а когда он женился в третий раз и родил ребенка, покончила с собой...

АРТ — Дина, нужно понять главное: обе ваши мамы больны — больны одной болезнью, хотя и по-разному, и это не столько вина их, сколько беда. Конечно же, выше твоих сил внушить себе любовь и симпатию к свекрови, а сочувствие к ней мешает испытывать застарелая горечь долгих детских обид, страха и бессилия с собственной мамой...

Но вполне в твоих силах относиться к ней с пониманием, а эмоционально хотя бы нейтрально. Если ты любишь своего Митю, то почему бы тебе не помогать ему в его благородных, хотя, быть может, и тщетных сыновних заботах?.. Человек-то он действительно замечательный, стоит ради него стараться!..

ВЛ — И не только ради него. Ради себя.

Зачем мой муж нянчит ребенка сестры?

В.Л., мне 21 год, недавно вышла замуж. Мужу Володе 25. Добрый, веселый, нежный человек. Очень любит животных и детей. Во всем почти понимаем друг друга, но..

У Володи есть старшая сестра.. В общем-то нормальная, приятная женщина. Замужем, ребенок. Так вот.. Сразу же после нашего медового месяца Володя начал 2 раза в неделю ездить к сестре. Остается у нее на ночь. Я просто от бессилия руками развожу.. Пыталась и уговаривать, ругать..

У сестры ребенок. Он с ним возится, пока сестра и муж посещают магазины, или сестра сидит дома, а Володя укладывает малышку. Я бы поняла, если бы ситуация безысходная была, что ребенка не с кем оставить.. Но на той же лестничной площадке живет одна из бабушек малышки и вполне бы могла посвятить ему некоторое время.

Мой Любимый с маниакальной настойчивостью ездит туда, звонит мне оттуда, болтаем.. Но стоит раздаться голосу сестры или плачу ребенка, как тут же прощается, вешает трубку. А я слушаю гудки и глотаю слезы.

Я думала, что ему не хватает своего ребенка, предложила родить, но он сказал, что мне еще рано.. и что ему хватает ребенка сестры, что он должен ей помогать.

Я в тихом ужасе.. Должна быть своя семья на первом плане? Или это нормально, и так выражается привязанность к сестре, которая нянчила его маленького? *Алиса*

ТЮС — Еще одна ревнивица не по делу. Я бы таких, будь моя воля, посылала в штрафные женские батальоны полы мыть и сортиры чистить круглые сутки.

АРТ — Девочка совсем инфантильненькая, хотя уже коготки выпускает.

ДС — Алиса, и ты еще недовольна? Дважды в неделю твой любимый дает тебе от себя отдохнуть, а сам вовсю вкалывает, практикуясь на роли отца-няни. Не где-нибудь, а в родной первой своей семье, у сестренки. Не по борделям шляется, как иные. Не пьет с дружками. Тебе сказочно повезло!

Когда ты родишь, он и с тобой и твоим дитем будет такой же заботливый и умелый. Присоединяйся, тоже ходи к золовке и помогай!

Соломоново решение?..

...Пришли две женщины к царю и стали перед ним. И сказала одна женщина: О, господин мой! Я и эта женщина живем в одном доме; и я родила в этом доме. На третий день после того, как я родила, родила и эта женщина; и были мы вместе...

И умер сын этой женщины ночью, ибо она заспала его. И встала она ночью, и взяла сына моего от меня, когда я, раба твоя, спала, и положила его к своей груди, а своего мертвого сына положила к моей груди. Утром я встала, чтобы покормить сына моего, и вот, он был мертвый; а когда я всмотрелась в него утром, то это был не мой сын, которого я родила.

И сказала другая женщина: нет, мой сын живой, а твой сын мертвый. А та говорила ей: нет, твой сын мертвый, а мой живой.

И говорили они так перед царем...

И сказал царь: подайте мне меч. И принесли меч. И сказал царь: рассеките живое дитя надвое, и отдайте половину одной и половину другой.

И отвечала та женщина, которой сын был живой, царю, ибо взволновалась вся внутренность ее от жалости к сыну своему: О, господин мой! отдайте ей этого ребенка живого, и не умерщвляйте его. А другая говорила: пусть же не будет ни мне, ни тебе, рубите.

И отвечал царь и сказал: отдайте этой, уступившей, живое дитя; она его мать.

Книга Царств

66

В.Л., уже почти три года я живу с Сергеем — гражданским мужем. Ему 36, за могучими плечами брак и сынишка, которому недавно стукнуло 12 лет. Отец и сын очень привязаны друг к другу и очень страдают от того, что папа не живет с Лешей, не ночует с ним. В последнее время, около месяца, все обострилось. Мальчик взрослеет, всеми силами пытаясь удержать отца, и по-детски шантажирует — «если не останешься, не пойду в школу», стал упрямым, неуправляемым..

Чувство вины перед ребенком вкупе со всем остальным разрывает Сергея. И вот уже 2 недели он не приезжает ночевать. А я сейчас беременна, уже на 7 месяце.

Мы видимся только днем: он забирает меня с работы, когда есть возможность, ужинаем, потом у него «дела», и вот итог — я ложусь спать одна и не могу уснуть от своих тревожных мыслей..

Жаль и его, и себя, и его детей, которые не виноваты. Не знаю, как вести себя. Стараюсь следовать вашим 3-м «НЕ»: не спрашивать, не упрекать, не требовать, но обиды копятся.. Иногда кажется, что, наоборот, очень даже естественно в моем положении поплакать, покричать, устроить истерику. Но не могу — на работе, для друзей строю из себя довольную жизнью особу, а дома терплю. Сергей уже не считает нужным позвонить, предупредить, что не приедет домой. «Абонент недоступен». Да и где его дом — он и сам не знает. Как быть? Может быть, отпустить Сергея, сосредоточиться на беременности?

Боюсь его потерять, боюсь, что уйдет, тем более что его бывшая жена очень хочет, чтобы он вернулся (тоже настрадалась, бедная), и всячески этому способствует. Как помочь Сергею, ведь ему тоже несладко? Хочу вести себя достойно и не хочу его потерять.. *Нина*

Нина, ты все понимаешь и ведешь себя совершенно достойно, остается только привести внутреннее в соответствие с внешним.

Всем участникам вашего многоугольника тяжело, все по-своему правы, но положение Сергея — двусемейное, на разрыв, выбор — кем жертвовать, кого обездолить — сейчас самое сложное. У него живые отношения с родным сыном, которому он именно теперь, в предподростковом возрасте, особенно нужен. А с существом, которое только еще начало жить в тебе, такие отношения еще предстоит устанавливать, и не один год...

Помнишь притчу о соломоновом решении?.. Победила та мать, которая уступила. Наилучшее поведение с Сергеем для тебя сейчас мягко-приемлющее, терпеливое, со знаками понимания. Скажи ему, и не раз, что понимаешь тяжкость его двусемейности и сама считаешь, что ему пока надо бывать больше в той семье, с подрастающим сыном. Что будешь спокойно ждать, когда он сможет без угрызений совести ночевать у тебя. Что не столько физическое, сколько душевное его присутствие тебе нужно...

Загляни мысленно лет на пять вперед. Лешка к тому времени войдет в возраст отхода от родителей, начала самостоятельности, и для Сергея ситуация станет иной. Сосредоточься и предоставь себя Божьей воле. Когда ребенок родится, уладится все.

68

С кем и зачем?

из записи беседы с Галиной В.

Муж так и говорит: «Сделай выбор, с кем ты живешь, со мной или со своей матерью». А ребенок...

Галина — *Владимир Львович, помогите, пожалуйста. Я должна сделать выбор, поддерживаю я мужа или свою мать. Муж так и говорит: «Сделай выбор, с кем ты живешь: со мной или с матерью». А ребенок... Не знаю, кто для него важнее.*

ВЛ — Что вы могли бы сказать о характере мужа?

— *Сергей человек авторитарный. Очень остро, болезненно переносит нарушение своих интересов. Отлично формулирует свои мысли. Я же, напротив, делаю это с трудом и плохо. Мне можно легко красивыми словами что-то внушить, но потом оно облетает...*

— И что остается?

— *То, что согласуется с вынесенным из отчего дома. От мамы... Отец у меня не речист и не общителен...*

— Сколько лет вы вместе?

— *Пять. Для обоих второй брак. Мужу 40, мне 33, у меня сын 11-летний Витюша от первого мужа, а у Сергея детей не было. Он считает, что я незрелый человек, потому что всю жизнь жила на полном обеспечении... По той же причине, считает он, и его жизнь не удалась. Он хочет воспитать нашего Витюшу жизнеспособным, научить его трудиться и нести ответственность за себя и других.*

— За чем же дело стало?..

— *Муж считает, что воспитанию бабушка мешает, мама моя. Бабушки, говорит, только портят внуков, играются в них, как в куклы.*

— А что можете сказать о маме, о бабушке то есть?

— *Она человек ответственный, заботливый,*

несколько безалаберный, как сама говорит, зато легкий. Всегда тащила все заботы без нытья и злобы. Создавала теплый и светлый климат в доме. Нам, детям, было всегда уютно.

Мне всегда хотелось быть на нее похожей. Но увы, муж говорит, что я создала из нее кумира...

— В чем главное несогласие в воспитательских подходах к ребенку между мужем и вашей мамой?

— Мама ребенка любит, заботится о нем и не может занудно проводить какое-то целенаправленное воспитание. Она думает, что все равно «натура свое возьмет», и лучшее, что может дать ребенку взрослый, — это хороший личный пример плюс забота о здоровье и возможность развиваться интеллектуально. Она считает, нужно терпеливо следить за ребенком и кое-что заставлять делать, но не давить слишком и не наказывать.

А Сергей считает, что только страх наказания может заставить ребенка отказаться от привычных шаблонов поведения. Ставил мальчика на несколько часов в угол, чтобы приучить к порядку, например, за неубранную грязную тарелку. За несколько раз приучил.

Вменил ему в обязанность следить за хлебом в доме: не бегать в магазин, когда ему скажут, а самостоятельно контролировать наличие. При отсутствии хлеба не велел кормить. Для меня это был нож острый, я ведь должна была поддерживать политику мужа! — но только раз Витюшка не пообедал, а сейчас привык, без подсказок отслеживает.

Убирать на столе приучил, аккуратно убирать свою постель. Витюша встает в 7, в 7.30 будит меня. А муж спит, сколько спится.

— Картина вполне ясная...Что бы вы рассказали еще о себе?

— Я только последние 8 лет живу вне родительского дома, только 4-й месяц работаю, из одного развалившегося брака в другой... Едва-едва начинаю изживать инфантильность. Мои главные враги, я думаю, глупость и малодушие. И еще гордыня. Сколько меня жизнь носом ни тыкала, регулярно меня заносит. То думаю, что хуже всех, а то вдруг, глядь — и наоборот!

— Муж сильно от вас отличается?

— Муж мой человек тяжелого характера. Пассионарий. Холерик. Неудачник. Зануда. Ему 40, а говорит, что его жизнь закончена.

Уже 3 года не работает, в основном сидит за компьютером, играет в игрушки. Злится, матерится, ломает мышки и диски, если игрушка жухает. Правда, при ребенке старается не материться...

Когда работал, с сотрудниками не мог найти общий язык, все у него или дураки, или подлецы.

— А какие у него претензии к вам?

— Не может простить, что когда увольнялся с работы, я его не поддержала, думала о себе... Вообще, говорит, ты не умеешь быть женой, твоя мать виновата, не научила тебя. Это правда, быть женой я не умею...

До меня он работал... Иногда. Надеялся, что я его спасу. Вдохновлю, дам смысл... Он мне это долго объяснял, но я всей глубины этого не поняла. Мне было плохо и одиноко в моем предыдущем замужестве, а тут такая страсть и такое огромное и настойчивое внимание!.. И вот три года уже твердит, что жизнь его кончена и что последнее его дело в этом мире, говорит он, это воспитать неродного ребенка.

— Почему же он так убежден, что его жизнь закончена в цвете лет, чем обосновывает?

— Многим. Он, говорит, всю вторую половину жизни это осмыслял, и выработал несколько чеканных постулатов. Первое: он многое может. Еще лет в 20 у него было чувство, что он может все, но не понимает зачем. Без Великой Идеи он безумно слаб. «Надо» он подвергает всяческому сомнению, ему нужно «хочу». Считает, что, если бы родители научили его в детстве нести ответственность за себя и других, его жизнь не пошла бы прахом. А родители полностью о нем заботились, при этом мать, классический самодур по натуре, отравляла ему жизнь, а отца-подкаблучника он не уважает, отец для него «не «мужчина»...

— Для себя ваш муж «надо» не признает, а Витюшу по принципу «надо» вовсю муштрует? Как это понять?

— Да, в ребенке муж старается воспитать то, чего ему самому не хватает, чего сам не умеет. Мальчик мой «живчик», со способностями, но не желающий напрягаться. И с очень большой склонностью врать.

Устраивали ему промывание мозгов с бойкотом за бессовестное вранье: неделю не разговаривали, сидел один в своей комнате. А вот недавно опять попался на откровенном вранье: дал обещание не играть на компьютере, тут же сел, как все ушли, долго отпирался, не признавал улики.

Муж сказал, что это не слабость, а порочность. Сказал ему, что относился к нему, как к родному, но такой сын ему не нужен. Объяснил мне: мальчик привык, что его всегда любят, надо ему дать понять, что ложь может отвернуть от него людей.

Мама бы точно такого не приняла, а я не постигну — а вдруг он прав? Мама говорит, что мужу надо бы делом заняться, чтобы снять такой сильный акцент на воспитании ребенка... И тут мне чудится, что она права.

— Вам это не чудится.

— Сейчас близятся каникулы, и муж не хочет отпускать сына к бабушке, а она его очень ждет. Сергей говорит, что все наши усилия прахом пойдут. Ребенок там пуп земли, а ответственности никакой.

Что мне делать?

— А как настроена сейчас мама?

— Старается не вступать в конфликты с Сергеем, но и в его дуду дудеть отказывается. Очень ждёт Витюшку, очень-очень его любит.

— Как же вы сами склонны поступить?

— Не знаю... Маму жалко, и подумаешь — всего на неделю привезти внука! Не все ж ребенку на нас, унылых, смотреть!

А мужа не поддержать — наш брак развалится, останусь я с сыном-подростком и с бабушкой...

— Кто сейчас кормилец семьи?

— Отчасти я, отчасти мама, она врач, до сих пор работает. И еще немалые деньги дает родной отец Витюшки, мой первый муж. Сергея это бесит, он требует, чтобы я их не брала. Я все-таки иногда тайно беру...

— Вы очень заинтересованы в прочности ваших отношений с Сергеем?

— Мне с ним тяжело, но я так стараюсь его любить, я же помню его добрые порывы, чувствую его тоску и одиночество. Но его приступы самодурства и это упорное «жизнь закончилась» меня угнетают, иногда просто достают, хочется бежать. А он раздражается от привычных моих глупостей, от того, что часто плачу.

И у него тоже ко мне мало теплых чувств осталось. Ни о чем другом нет сил думать последние месяцы.

ВЛ — Готов выслушать ваши мнения, коллеги.

АРТ — Частый и узнаваемый случай современной семьи, с затяжным душевным и социальным инфантилизмом обоих родителей. Не худший вариант, но и просветов не видно...

ГИД — Внюхиваюсь наподобие вас, ВЛ, в ароматы супружеской любви и тоже что-то почти ничего не унюхиваю. Потерлись ребята друг об дружку своими проблемами пяток лет и так ни к чему и не пришли...

ДС — Для ребенка положение аховое: отчим ломает его душу, делает из него невротика, лгуна, труса, а в последующем, возможно, и алкоголика или наркомана. Только на бабушку и надежда, но в таком контрасте и она не на пользу...

ТЮС — Паразитический тиранчик Сережа, который все может и поэтому ничего не делает, в поиске Великой Идеи хотел сначала найти в новой женке Гале добрую маму, не очень вышло — начал сгибать в послушную младшую сестренку и почти преуспел, заодно с большим кайфом под видом воспитания вымещает свой комплекс несостоятельности на Витюше. Галя страдает куриной умственной слепотой и своей грандиозной несамостоятельностью напоминает мне одноклеточное под названьем амёба. Так и хочется крикнуть: да что же ты за штаны держишься? Ты повыше чуть-чуть возьмись!..

АРТ — Галя ведь и сама говорит, что ее «главные враги — глупость и малодушие». Ее мама, похоже, сильная и светлая личность, но дочь скорей тень, чем живое отражение этого света. Натура ли это, или тот тип воспитательской деформации, когда сила родителя порождает — или дозволяет — слабость ребенка, трудно судить, но факт: женщина сверхзависима, сама это понимает («только-только начинаю изживать инфантильность»), но даже не мыслит ничего предпринять для своего освобождения и самореализации.

ТЮС — Да она же зомбирована искателем Великой Идеи, своим матерящимся пассионарием!

ВЛ — Быть может, ей удобно быть как бы зомбированной? Можно не взрослеть...

ДС – Сергей – тоже жертва родительской сдвинутости, перевертыш материнского деспотизма и отцовской амебности. Духовно больной человек, заблудившийся в тупике самолюбия.

ГИД – Я слыхал, таких хорошо лечит физическая работа на свежем воздухе...

ТЮС – Да, где-нибудь подальше в глубинке, при отсутствии в рот глядящих дурех, компьютерных игрушек и чужих ребятишек для самоутвердительного упражнения своих воспитательских талантов...

ВЛ – Галя, положение само по себе не улучшится. К сожалению, мало шансов, что ваш муж переменится, а вы слишком зависимы от него. Вся ситуация в целом серьезно угрожает душевному развитию вашего сына. Если научитесь быть свободной, одиночество вам не грозит. Еще не поздно расстаться с Сергеем ради Витюши и начать новую, осознанно-свободную жизнь самостоятельной взрослой женщины. Решитесь – приходите, поможем.

*Р*оскошная дача как личная неудача
репортаж из-под каблука

В.Л., история моей семейной войны долгая, длиной в 20 лет У меня жена, сын 16 лет и дочурка 6 лет. Еще мама и сестра, живут отдельно. Теща и тесть тоже живут отдельно. Отношения жены и моих родных не заладились с самого начала нашей совместной жизни. Временами обострялись, временами улучшались..

За три года до смерти моего отца они улучшились до такой степени, что мы с женой решили строить на участке моих родителей дачу, где у них уже был построен небольшой домик.

Я радовался, что все наконец-то наладилось и мы заживем спокойной жизнью, когда не надо втихую звонить своим по телефону, чтобы узнать, как у них дела, не надо переживать перед наступлением семейных праздников, зная, что любая поездка на день рождения сестры или родителей будет сопровождаться скандалом. (Поездки и звонки к ее родственником, наоборот, поощряются.)

Но рано я радовался. Не прошло и года после смерти отца, как жизнь опять повернулась другим боком. Опять война! Жена наотрез отказалась поддерживать какие-либо отношения с моей мамой и сестрой, добилась даже того, что они перестали мне звонить, каждый их звонок вызывал очередной бурный скандал. «У меня на них аллергия! Чтоб ни слуху ни духу!» Всячески препятствует встречам моей дочки с бабушкой и тетей. Даже на день рождения дочки не разрешила их пригласить.

На построенную дачу (летом там живет моя мама и сестра) не ездит, слышать о ней не хочет, «чтоб она развалилась, чтоб она сгнила, твоя чертова халупа! Дачник ты неудачник». Халупа?! - да я старался построить для нее и детей настоящие хоромы! И ведь получилось, хотя и не без ошибок! Даче я посвятил несколько лет жизни, это мое увлечение, в нее вложен мой труд и деньги (жена не работает), да, всю душу вложил туда.

И вот теперь, когда можно жить там всем вместе, жена детей туда не пускает, а каждую мою поездку воспринимает как предательство. Требует, чтобы я либо продавал дачу (продавать я ее не могу, на участке стоит мамин домик), либо строил новую в другом месте, на это у меня нет денег. Когда я ей стал возражать, она мне ответила, что ей придется искать другого мужа..

Как быть? Поставить крест на даче я не могу. Не могу отказаться и от своих родных, от мамы и сестры. Хочу спокойной размеренной жизни. Никогда не гулял от жены налево, не испытываю и сейчас такого желания. И в мыслях не было оскорбить тещу и тестя. При этом постоянно выслушиваю всякие гадости о своих родных. Я не хочу их идеализировать, но люди они доброжелательные, никогда камня за пазухой не держали..

Хочу добавить, что отношения у нас с женой неплохие, пока это не касается моих родных и дачи. Она заботливая супруга, очень любит наших детей. Мы доверяем друг другу, у нас никогда и в мыслях не было изменить. Но вот сейчас просто не знаю, что делать, душа разрывается, хоть руки на себя накладывай.. *Федор*

ВЛ – Коллеги, это письмо пришло ко мне по электронной почте. Из очень типичных. При всех попытках сохранить стиль и дух отправителя текст пришлось изрядно ужать...

ДС – Убрали, наверное, много подробностей о строительстве дачи и насчет того, кто кого когда приглашал, чем угощал, чем обидел, куда посылал...

ВЛ – Да, вязкая земляная конкретность... Но вот что любопытно: при ясно просматриваемом типе отношений и характерах обеих сторон сам пишущий совершенно не прорисовывает суть конфликта...

АРТ – Да, нигде женин раб Федор и словом не обмолвился о том, почему же его госпожа-жена так враждебно настроена против его родных, чем мотивирует хотя бы словесно свою аллергию...

ВЛ – Ключевые психологемы, как правило, и остаются вне поля сознания. Я и хотел спросить: а вы как думаете, каковы мотивы?

ГИД – Сама, наверное, не понимает. Не переносит на дух, и все.

ТЮС – Что тут поймешь, из этого подкаблучного писка? Да и зачем бабе, держащей мужика в строгом ошейнике, какие-то еще там мотивы? Моя власть, как хочу, так и верчу.

ДС – За долгие двадцать лет человек ни разу не взбунтовался, лишь вяло сопротивлялся, сдавался и переживал. Наверняка и мать у него властная, но жена круче.

АРТ – Женский собственнический монополизм тут несомненен и существен, но может быть и еще один крупный мотив, я называю его «профсоюзным». Родственники мужа (в других случаях жены) болезненно, именно вот аллергически воспринимаются как люди другой социальной категории – низшей либо, реже, высшей. Иные, чужие, быдло какое-нибудь или, наоборот, белокостные...

ТЮС – Другой профсоюз – хуже, чем инородцы.

ВЛ – Нам нужно пожелать что-то Федору, ведь его положение угрожающее, в отчаянии он может действительно наложить на себя руки или...

АРТ – Классическая предынфарктная ситуация.

ТЮС – Федор, за все двадцать лет твоей бесплодной войны, добывая хлеб насущный и строя дачный дворец, ты не озаботился изучить главное для брака искусство: челночную дипломатию...

ВЛ – А в дипломатии главное – осознание пределов возможного. Муж и жена, даже идеально подходящие друг для друга, могут происходить из настолько несовместимых предковых семей (прасемей), что попытки их искусственного сближения, «породнения» могут иметь лишь разрушительные последствия. И в таких случаях всего лучше обоим прасемьям по обоюдному согласию держаться друг от дружки на почтительном расстоянии.

ГИД – Федор, а я хочу пожелать тебе принять внутрь сто граммов мужской твердости. Зачем ты так детски зависим от жены? Если она ставит ультиматумы и угрожает подыскать себе другого мужа, то почему бы и ее не поставить перед условиями?

АС – Но прежде следует вникнуть, подумать, понять, что же все-таки руководит женой в ее слепой враждебности к твоим родным, на что именно у нее «аллергия»? Припомни, с чем были связаны периоды ухудшения и улучшения ее настроений, по каким поводам она отчуждалась и раздражалась, по каким смягчалась? Если были просветы, значит, и сейчас есть запас возможностей для подвижек. Постарайся несколько раз поговорить с супругой без споров, без старания доказать свое, но и без намерения уступать, а только с желанием получше понять...

ГИД – Такой разговор и называется диалогом.

АРТ – А потом, может, найдется и компромисс...

ВЛ – Компромисс, сказал Талейран, знаменитый дипломат, перехитривший Наполеона, есть искусство проигрывать во второстепенном и выигрывать в главном. А что главное для Федора, может определить только Федор...

ПЕРВЫЙ ЛЕД

Как быстро догнал первый лед
наш кораблик из щепок и шелка...

Тайша

Что лучше: бардак или хорошие отношения?
Особенности американского мужа
История великого семейного оледенения
Притирка не по Чехову
Как разбудить жену?
Праздник кончился, спасите отношения
Любовь не объявляется... нелюбовь тоже

...Эта книга подобна многоквартирному дому. Множество окон и дверей, за которыми живут разные семьи, очень разные люди — миры близкие и далекие, неведомые и узнаваемые...

Словно незримые духи, мы свободно проникаем то в один, то в другой, похожий или непохожий...

А еще это напоминает пчелиные соты, где в каждой ячейке — мед, но не одинаковый, а на особицу, своего состава, с цветов всевозможных...

Меда легко объесться, поэтому — понемножку!

Хотите инструкцию — с чего лучше начать разрушение отношений?

Нашествие слоновьев

что лучше: бардак или хорошие отношения?

В.Л., мне 23 года, моему мужу Леше 24, вместе 4 года. Детей пока нет. Когда мы познакомились, я училась в экономическом. Леша твердил, что мне не стоит там учиться, что профессия экономиста не для меня. Вначале я сопротивлялась, но потом поняла, что он прав, и бросила институт. Леша сказал, чтобы я сидела дома, а когда пойму, в чем мое призвание, он мне поможет.

Сперва я отдыхала от осточертевшей учебы. Я люблю читать, этим в основном и занималась. А настроение было упадническое..

У моего Леши психика абсолютно здоровая, он жизнелюб и оптимист, у него много идей, которые он пытается немедленно претворить в жизнь. Я полная противоположность ему. Но в последнее время я изменилась к лучшему, думаю, исключительно за счет общения с мужем, его примера и поддержки.

Я уже определила род своей деятельности: творчество для детей, книги с собственными иллюстрациями, мягкие игрушки, кукольная одежда, забавные вышивки.. Но моя беда: мало сил. Я ленива и порой не могу заставить себя заняться и любимыми делами. Во мне словно воздвигнута какая-то стена апатии, бессилия, уныния..

Содержание воздушных замков обходится очень дорого...

Э. Булвер-Литтон

Еще проблема: взаимоотношения с мужем по поводу быта. Леша целый день занят, дом полностью на мне. А он вырос в семье, где порядку и чистоте не придавалось никакого значения. Квартира его родителей — хлев, даже хуже: вонючая помойка, когда я впервые попала туда, мне стало дурно. Вот он и со мной продолжает жить как в помойке.

Все разбрасывает, не кладет вещи на место, не бережет, портит. Метает ножик в косяк, тот после этого весь в трещинах, а на полу куча отлетевшей известки, которую убираю я. Испорчен косяк, а ему хоть бы что..

О том, что у человека должны быть личная расческа и полотенце, я давно забыла! Леша хватает, что попадя. Не знает, что где лежит, никогда не догадается поднять упавшую вещь, поправить штору, закрыть дверцу..

Не вешает в шкаф одежду, бросает комом, хоть я и напоминаю, что я ее гладила, что он не уважает мой труд. (Ему мать никогда не гладила, ходил мятым всю жизнь.) Выкидывает мусор из карманов прямо на пол, топчет пол уличной обувью. Берет из холодильника молоко, обратно забывает поставить, оно киснет на жаре..

Когда муж передвигается по квартире, я начинаю нервничать: что он еще сейчас натворит? Где будет очередной срач?

Если он пробудет дома несколько часов без призора, то образующуюся картину можно определить так: НАШЕСТВИЕ СЛОНОВЬЕВ. (Они мне как-то приснились, помеси соловьев со слонами, после которых все вокруг разворочено и загажено..)

Впадать в гнев — значит вымещать на себе ошибки другого.

А. Поп

Я вспыльчива. Бывало, мы ссорились, и я могла, не помня себя, наброситься на мужа и начать избивать, кусать, царапать. Ему приходилось меня ударять, чтобы я его не убила, хотя Леша — спокойный, добрый, ни одной ссоры не происходило по его инициативе.

Все это омерзительно, не хочу больше отвратных сцен, но увы, только две такие многочасовые гнусные ссоры с побоищем позволили мне добиться от Леши двух скромных вещей: не с..ть мимо унитаза, пардон, и не сморкаться в наволочки. После моих слез Леша смиренно просит прощения, говорит, что будет следить за собой.. И все повторяется.

Уверяет, что это мелочи, что у его родителей дома бардак, зато отношения хорошие.

И советует: а ты не убирай, если не хочешь! Как к этому относиться?

Может, прав Леша, и мне надо постараться переменить отношение? Ведь все относительно: моя покойная бабушка посвятила жизнь уборке квартиры, под конец это превратилось у нее в манию, и, если бы она могла сейчас увидеть мое прибранное по моим меркам жилище, ее хватил бы инфаркт..

Как мне ради мира в семье спуститься на ступеньку бытового развития моего мужа? Как научиться считать срач пустяком? Не обращать внимания? Или составить список требований и все же устраивать разок в месяц разборки с подробным мордобоем?.

Мы советовались с подругой-психологом. Замечу, кстати, что у нее муж выполняет ВСЮ работу по дому. Подруга категорически заявила, что на самом деле я недовольна чем-то другим в муже, скорее всего качеством или количеством секса, быт лишь предлог, чтобы придираться. Потому что это такая фигня, о которой и говорить-то не стоит.

Я честно пыталась найти эту другую причину своего недовольства и пришла к выводу, что ее нет. Мой Леша классный мужчина, сильный и умный, в сексе просто гигант. Я злюсь на него исключительно из-за его бытовых привычек. И если это все же всего лишь предлог, то истинная причина во мне самой: в недовольстве собой, своей жизнью.

Я чувствую, как по капле уходит в безвозвратность мое золотое время, а я никак не могу состояться как личность. Может, я просто отыгрываюсь на муже? *Алена*

ГИД — Любовная лодка бьется о быт, но бока крепки, не затонет. Мне кажется, здесь прогноз хороший. Ребята с умом, и четыре года — еще не вечер. Притрутся, приладятся. Ребенка бы уже надо...

ТЮС — А я думаю, прогноз сомнительный, и ребенок может стать непосильным испытанием, грузом, который суденышко не потянет. Девушка правильно чует, что ее жизнь буксует. Она слабенькая, но способная, с искрой, с юмором, и задавлена муженьком, любовно задавлена, что самое страшное. Под предлогом поиска призвания посадил на цепь и превратил в свою сексуально-бытовую обслугу. Небось и из дома выпускает неохотно...

В моем первом браке было нечто подобное: любили меня так, что продыху не было: секс и быт, постель и готовка, уборка и стирка, умные разговоры и горы посуды, душевное участие и вонючие носки... Сначала я была героически счастлива, потом счастливо-несчастна, потом обессилела, потом отупела, потом озверела, потом озверел и он, мой идеальный рыцарь, материл, клял, бил меня до крови, сломал руку...

И тогда уже я набрала в грудь воздуха и почувствовала, что добилась права на собственную жизнь. Бывший любимый и сейчас убежден, что я, неблагодарная стерва, его предала, кинула. А мой выбор был крут: погибать или делать ноги...

ДС — Никогда не подумалось, что вы прошли мимо третьего пути? Диалог, игра, путешествия друг в друга, обучение взаимочувствию, новые путешествия в новых друг-друга, любовный компромисс, юмор?..

ТЮС — Подумалось, и не раз. Я даже уверена, что мы друг мимо друга прошли...

После скольких-то лет притирочной возни, громкой или тихой, только и начинается настоящая встреча. Но движение друг к другу должно быть одновременным с обеих сторон...

АРТ — А я поняла другое. Не встретиться, если идти друг на дружку в лоб по плоскости — разнесет в стороны, потому что у каждого свое тяготение, свой угол скрытого отклонения от траектории правильности, каждого несет свой поток...

Нужно каждому со своей кочки подниматься к общей вершине: она смагнитит, соединит. Никакие семейные контракты по распределению ролей, прав и обязанностей, никакие сделки или любовные обещания силы не возымеют — все равно энтропия засорит и растреплет все в клочья, центробежные силы, бесы распада возобладают. Только высшее может соединить низшее. Только вертикаль, только Зов Сверху...

ГИД — Звучит красиво и нереально. Что именно, что же конкретно должно быть такой зовущей вершиной? Общая религия, общая вера?.. Я знаю семьи, где он и она истово веруют в единого бога, сообща молятся, медитируют, а жалят друг друга, как змеи, терзают зверски, доканывают. Семейное дело, совместная работа, сотворчество?.. Сколько угодно пар, которых не удержало и это. Секс?.. Дети?..

АРТ — Зовущей вершиной быть **ничто не должно, а может** — все что угодно, от богослужения до фигурного катания или разведения пауков. Дети тоже, а секс в том числе, почему бы и нет. Важно лишь ориентироваться по одной и той же звезде.

ВЛ — Алена, вот при этом условии и в быту легче искать компромиссы... У всякой пары найдется тысяча и один повод для столкновений: одному для здоровья полезен холод, другому тепло, одному нужно открыть форточку, другому закрыть, кто-то должен уступить и терпеть, и сегодня этим кем-то могу быть я, завтра ты, а послезавтра мы оба на столько-то и настолько-то: форточка приоткрыта несильно или прикрыта неплотно...

Компромисс — это не или-или, а и-и: пропорция, могущая меняться то туда, то сюда — подвижное равновесие противоборствующих начал.

ДС — Алена, у каждого, даже у наимудрейшего гения психологии есть свои уголки, а то и целые зоны, поля психологической незрелости, инфантилизма, слепоты и отсталости. Поняла ли ты, что твой Леша в семейной стратегии лидер, мягкий диктатор, а в быту дитя, застарелый младенец?

Если поняла, то не смущаясь используй воспитательские приемы, соответствующие его уровню развития именно в этой сфере.

Как можно меньше ругай и как можно больше хвали авансом, хвали за то, что он якобы старается делать и что у него обязательно, непременно начнет получаться, уже вот-вот, получается...

Меньше слов, больше внесловесных наглядных воздействий. Если нагадил, возьми тряпку, возьми мужа за руку, подведи к содеянному, нежно ткни в оное носом, всучи тряпку и молча жди, пока не подотрет за собой. Подотрет!..

ТЮС — Все выслушала?.. А теперь срочно разгоняй своих слоновьев и начинай работать или возобновляй учебу, а лучше и то, и другое сразу. Мужу некогда подтирать за собой?.. Пускай и тебе будет некогда, а там видно будет!..

Как выпилить розу из пластмассы?
национальные особенности американского мужа

В.Л., мне 21 год, замужем I год, ребенку I месяц. У меня ленивый муж, и к тому же эгоист, но он искренне верит (или, скорее, я хочу верить), что он меня любит.

Я учусь в университете, у меня последний семестр, а муж мне не помогает, целыми днями играет в компьютерные игры, не работает, без подсказки не делает ничего по дому, ссорится с моей мамой, которая приехала из России, чтобы помочь нам с ребенком (мы живем в Америке, муж американец), все делает только для себя, не занимается ребенком, разве только если держать детку перед его компьютером или телевизором.

> Муж, увидев, что жена вернулась с большой наполненной сумкой, говорит:
> – Пора кончать с этим, дорогая. Женщина в твоем возрасте не должна носить такие тяжести.
> – А что ты посоветуешь?
> – Лучше сходить дважды.

Иногда у меня ощущение, что он какой-то пластмассовый. Не дарит мне никогда подарков, даже на рождение дочки не подарил цветов, только после шести месяцев непрерывного пиления купил одну розу.

Зато прекрасными словами и смайликами одаривает, твердит, что любит, что я красивая.. Но все выученно, механически. И секс тоже: пластмассово, без души и фантазии.. Я знаю, что человека не переделаешь, тем более американца (они все тут очень себя холят и культивируют), но так жить тяжело и унизительно, а уходить с новорожденной малышкой некуда.. Что мне делать? Помогите, пожалуйста, советом. *Наташа*

ГИД — Народ говорит: видели глазки, что покупали, таперича лопайте, хоть повылазьте.

АРТ — В том и беда, что глазки не видели.

ТЮС — Без подсказки не делает, а с подсказкой делает?.. А ты попробуй его не кормить без подсказки.

ГИД — ..ссорится с моей мамой, которая приехала из России специально для того, чтобы помочь нам с ребенком.. Классика, зять и теща не ладят — это по нашему! Не было еще зятя, чтобы расейскую тещу переломил, а уж американский зятек — пустячок, пошаговые программы только у него надо выработать, и все будет о'кей! Ты, кстати, хорошо ли изучила, Наташенька, ихнюю тещезятементальность?

ВЛ — Американский ментальный акцент — крайняя прагматичность плюс крайняя инфантильность — сейчас стал психологической определяющей и нашего досорокалетнего поколения.

АРТ — ..не дарит мне никогда подарков, даже на рождение дочки не подарил цветов, только после шести месяцев непрерывного пиления купил одну розу. Зато самыми прекрасными словами и смайликами одаривает..

Наташа, да ведь слова и смайлики подешевле стоят в американской валюте.

О, если б ты знала, сколько приходит ко мне наших женщин с жалобами, что мужья откупаются от них подарками, цветочками и деньгами, а слова ласкового и клещами не вытянешь!.. Выходит, ты не относишься к тем типично российским женщинам, которые любят «ушами»?..

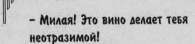

— Милая! Это вино делает тебя неотразимой!
— Но я не пила вина!
— Это не важно. Зато я выпил.

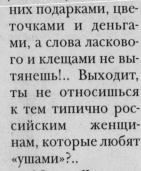

ДС — ..Что мне делать?

Наташа, сейчас момент сниженного настроения, быть может, даже легкой депрессии, часто бывающей после родов, и все воспринимается пессимистично.

Не суетись, подожди, осмотрись, времени еще у тебя полно. Когда дочка подрастет, даже у пластмассового американского папы могут потихоньку выявиться отцовские чувства.

АРТ — И у нас мало мужчин, которые помогают с маленькими прямо с рождения — для мгновенного просыпания родительских чувств надо либо 9 месяцев их вынашивать, либо заранее очень желать...

ВЛ — А я, Наташа, вижу главную трудность твоего нынешнего положения не в том, что муж у тебя пластмассовый, а в том, что ты его, возможно, не любишь. Говорю это не в осуждение: может быть, ты и не лгала ему, или мужу и не нужно твоих чувств.

Вопрос этот необязательно ставить вслух, но очень важно поставить внутри себя и ответить честно — тогда многое облегчится...

Маразм крепчал
история великого семейного оледенения

Если каждому по льдинке, начинается зима.
                                    Ю. Устинов

В.Л., хочу рассказать вам историю безуспешного перевоспитания своей жены.

Я женат уже почти 20 лет. Первый брак. Женились по любви. Были общие интересы, хобби и пр. Недостатки в своей будущей жене я видел еще до свадьбы, но полагал, что они исправимы. Первые три года жили душа в душу, никаких конфликтов, даже намеков.

Родилась дочь. Мое внутреннее недовольство стало расти, когда я вдруг понял, что мои воспитательные мероприятия не дают желаемого эффекта, и недостатки по ведению домашнего хозяйства и обеспечения ухода за мной как за мужем у жены абсолютно не исправляются. Впервые я позволил себе высказать недовольство по этому поводу, и это был первый случай разногласий в нашей семье. А потом еще..

Еще через три года понял: я все делал неправильно! Надо действовать по-другому, воспитывать жену надо совсем иначе!

Еще 7 лет совместной жизни прошли относительно спокойно, без катаклизмов и необратимых последствий.

Я потихоньку гнул свою линию, уступал в некоторых вопросах, которые казались мне не очень принципиальными, всегда первым делал шаги к примирению, даже тогда, когда был обижен и жена была явно не права.

Конфликты случались, но не носили разрушительного характера и были редкими — раз-два в год.

Потихоньку накапливалось раздражение от того, что ничего не меняется к лучшему.

Она так и не научилась ухаживать за мной как за мужем и нередко стала позволять себе неуважительные и оскорбительные высказывания в мой адрес. Я молчал, понимая, что это издержки ее воспитания без мужской руки, но кувшин моих претензий и обид наполнялся и как-то раз переполнился.

Мы крупно повздорили. Не разговаривали пару дней. Я очень переживал, мне было тоскливо. И я пришел мириться, я понимал, что кто-то должен сделать первый шаг, что подобное противостояние разрушительно действует на наши отношения. Купил цветы, шампанское, мы просидели всю ночь, поговорили, откровенно высказали друг другу претензии, помирились, договорились.. Все стало замечательно: неделю жена делала все как и полагается настоящей жене.

А затем все вернулось на круги своя.. И я опять понял, что в моем воспитательном процессе были изъяны.

За следующие 6 лет жизнь полетела под откос, материальное положение было катастрофическим. Наши личные отношения отошли на второй план. Я работал от зари и до зари, а дома все было по-прежнему. Любовь в чувствах и словах и почти полное игнорирование мужа с точки зрения ухода за ним. Участились неуважительные высказывания в мой адрес даже при ребенке.

Последние 7 лет.. В самый неподходящий момент мне сообщается, что у нас будет второй ребенок. Я безработный, старшая дочь полностью на мне. Я в шоке и депрессии. Долг 10 000 долларов. Не мог найти работу, даже дворником не взяли. Денег не было даже на метро.. Опять с головой окунулся в работу, которую все-таки нашел. Родилась дочь. Ситуация с мат. положением потихоньку стала исправляться. Я вырос как специалист, поднялся на пару ступенек по карьерной лестнице, мы потихоньку гасили долг.

А дома было все хуже. Жена не работала, хотя младшая дочь уже пошла в садик. Как были вещи, которые меня не устраивали, так и остались. Оскорбительные выражения в мой адрес стали нормой, как и упреки, что я не уделяю дому внимания, что я не могу сам починить сантехнику, электрику и пр. Я не белоручка и могу делать по дому многое. Но убежден, что лучше поручать это специалистам. А посуду мою быстрее и качественнее, чем жена и дочь, вместе взятые.

> Беспорядки – это язык невыслушанных.
>
> *Мартин Лютер Кинг*

У меня все чаще стали проскальзывать недовольные нотки и претензии к жене как к хозяйке: целый день дома, а бардак. Я всегда помогу, но выполнять домашнюю работу ВМЕСТО жены-домохозяйки и взрослой дочери не буду: у каждого своя роль в этом доме и свой круг обязанностей.

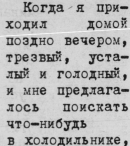

> Брак – весьма справедливый
> общественный институт: муж
> должен ежедневно есть, жена
> должна ежедневно готовить.
>
> *Альберта Сорди*

Когда я приходил домой поздно вечером, трезвый, усталый и голодный, и мне предлагалось поискать что-нибудь в холодильнике, настроения и любви мне это не прибавляло..

Ладно бы жена занималась собой. Гуляй, танцуй, ходи на курсы, плети макраме, ходи с подругами по музеям или бассейнам-саунам. Нет, она остановилась в своем развитии, не было роста личности. Я видел, что у нее появилась неуверенность в собственных силах и как у женщины, и как у специалиста (она врач). А у меня расширялся круг общения, появлялись новые контакты.

Бывало, что я задерживался, но как на духу — измен не было. По пятницам проводил время с друзьями, после спортзала и баньки, за бокалом пива (и не одним). Ее это выводило из себя. На следующее утро, в субботу она язвила, что ты, мол, отдохнул и не пора ли заняться домашним хозяйством. Сама же сидела дома и никуда не выходила. «Бабела», становилась все стервознее и нетерпимее. И детям доставалось. Грубость, окрики вошли у нее в норму, меня это приводило в бешенство. Я перестал подходить первым мириться. Мы не разговаривали неделями.

Я не раз предлагал ей найти работу не для денег, а чтобы повариться в другом месте, завязать новые знакомства, пофлиртовать с мужчинами, короче, «попастись на травке». Она не лишена привлекательности и может быть интересной женщиной. Два года назад я ее убедил пойти на курсы повышения квалификации по ее медицинской специальности. Она их успешно закончила. Воспрянула духом, почувствовала себя немного ЖЕНЩИНОЙ в глазах других мужчин. На какое-то время ситуация нормализовалась. Но затем опять все вернулось на круги своя.

Она начала ревновать меня к моим друзьям обоих полов, доходило до рукоприкладства с ее стороны. А мне уже не хотелось сдерживать ее..

Я не могу заниматься толком сексом с женщиной, которая меня оскорбила, обидела, унизила. Контакты случаются все реже и больше похожи на дежурный ритуал. Это тоже подливает масла в огонь взаимной неприязни. Если бы не младшая дочь (ей сейчас 6 лет), ушел бы давно, старшая уже взрослая.

Жена становится все больше похожей на покойную тещу.. Я пока верю, что она любит меня. Но не знаю теперь, люблю ли я.. Я далеко не идеален, во мне куча недостатков, но в 44 года даже недостатки становятся важной составляющей человека, без которых он не будет самим собой.

Я совершил множество ошибок, начиная с перевоспитания жены, а не себя, но если я умею признавать свои ошибки и говорить «прости», то у моей супруги этого слова просто нет! И дальше будет только хуже. Обидно и досадно. Жизнь проходит.. Подскажите, как быть. *Вячеслав*

ТЮС — По-моему, не оледенение это, а заболачивание... Пособие: как не надо жить в семье. Дяденька — гротескный зануда и самолюб, кажется даже, что обращение сочиненное, а не подлинное.

ВЛ — Ей-богу, ради читабельности пришлось еще убавить занудства процентов на семьдесят...

ДС — Двадцать лет перевоспитывал жену, чтобы убедиться, что воспитывать надо было себя... Так называемый эпилептоидный характер. Способен долго преследовать узкую цель. Социально приспособлен, ибо консерватор и конформист, а вот в личных отношениях у таких дяденек и тетенек, как правило, швах. Причем не сразу, а постепенно, по нарастающей.

АРТ — Жена — особа субдепрессивная, увяла сперва как личность, потом как женщина, вошла в климакс и подверглась мегеризации, от слова мегера.

ГИД — Постоянное бегство от тоски и несостоятельности через окошко злобы?.. Мужики такие есть тоже, дракончики.

ВЛ — Оба уперты в свои стереотипные семейно-ролевые претензии и с упорством, достойным лучшего применения, навязывают их друг другу.

ТЮС — Представляю, что будет лет в восемьдесят. Он будет помнить и твердить одну фразу: «обеспечь уход за мной как за мужем» , а она: «обиходь меня как жену». Мириться будут оба последними.

ГИД — А может, не все так безнадежно?.. Взгляды у Вячеслава узкие, но душа пошире: не прочь даже предоставить жене возможность пофлиртовать с другими мужчинами. Что-то неладное с ней, какие-то трудности, комплексы он ведь почувствовал и даже попытался слегка помочь...

ТЮС — Такой вдумчивый воспитатель, пожалуй, поможет повеситься.

ВЛ — Жизнь коротка, Вячеслав. Если за двадцать лет бесплодной войны эгоизмов наступило прозрение, то она прожита не совсем зря, и можно оставшиеся эн лет отдать прибавлению света...

Притирка не по Чехову, а хотелось бы...

В.Л., мне 25 лет, переводчик, работаю в иностранном представительстве.

5 лет назад встретила мужчину своей мечты. Умного, доброго, талантливого, красивого, независимого. Влюбилась с первого взгляда. Стали встречаться. Потом он уехал в Америку. В разлуке провели почти 4 года. Писали друг другу, звонили. Были тяжелые времена, и чтобы получить свободу маневра, мой любимый фиктивно женился на американке, которая была старше его в два раза..

Наконец, он приехал. Встретились и сразу стали жить вместе. Он почти не изменился за время нашей разлуки..

У-Ж-А-С начался уже на третий день: безобразнейшая сцена с его уходом на всю ночь.. Мы начали дико ругаться и драться. Я вдруг превратилась в брюзгу и истеричку, которая устраивает скандалы из ничего. А он человек темпераментный, вспыльчивый и ранимый, его тоже легко «несет»..

Всю жизнь я боялась стать похожей на маму, которая чуть что — вопила, швыряла вещи, нас с сестрой лупила с остервенением..

> Не делай другим то, что ты хотел бы, чтобы они делали для тебя. У вас могут быть разные вкусы.
>
> *Бернард Шоу*

Оказалось, что я такая же! От невымытой чашки у меня так портится настроение, что хоть святых выноси..

С моим любимым у нас одинаковый уровень образования. Нам нравятся одни и те же книги, музыка. Нам хорошо вместе. Он талантливый и интересный человек.

Мы сумели пережить разлуку только потому, что верили друг в друга. Но вот коснулось быта — и настал невообразимый ужас и стыд. Я стараюсь, сдерживаюсь, но меня не хватает на день, под вечер срываюсь — и все равно, какой повод и как хорошо нам было до этого. Что это — детское желание привлечь к себе внимание таким варварским способом? Или я просто не люблю его больше?

Мы уже решили, что, если станет совсем невыносимо, попробуем жить не вместе (хотя для нас очень важно просыпаться в одной постели). Оба в растерянности и депрессии. Вместе плачем после наших скандалов, но когда нелегкая несет, остановиться невозможно! Насколько сладко быть вместе, настолько дико и страшно рвать друг друга на клочки в безобразных драках.

Как вернуть свежесть восприятия любимого существа? Как сохранить любовь? Как научить себя быть воспитанным (по-чеховски) по отношению к дорогому человеку? *Катрина*

ТЮС — Трудности этой сладкой парочки, по-моему, настолько типичны и так повторяются из поколения в поколение, что хочется крикнуть: ребята, не трусьте! У вас притирка! Вперед! Бейте посуду! Громите мебель! Ломайте носы! Вырывайте волосы! Сокрушайте ребра! Возвращайте свежесть восприятия шишками и кровоподтеками! Скандальте по-крупному!

ГИД — Это вы предлагаете какой-то итальянский вариант, Таня, притом для людей с немалыми деньгами и незаурядным здоровьем.

ВЛ — Дмитрий Сергеевич, вам не кажется, что здесь сошлись два взрывных психопатика, оба инфантильные и с претензиями? Или просто холерик холерику на нерв наступает?

ДС — Возможно; однако в этом конкретном случае еще вот что существенно: чересчур резкая поляризация позитивов и негативов — лобовое столкновение на полном ходу ожидаемого и действительного. Они ведь четыре года друг дружку ждали, идеализировали, возводили на заоблачные пьедесталы — а теперь грохнулись на грешную землю.

АРТ — Высота запросов и низость инстинктов... Опыта жить с существом себе НЕ подобным, своеобычным — ни у нее, ни у него нет, и знания чужого опыта практически тоже нет.

ВЛ — Чужой опыт предупреждает, но не гарантирует от попадания в общий ряд. Есть статистическое исследование на предмет бурных ссор и супружеских драк в первых браках, вторых, третьих и т.д. Количество их соответственно порядковому номеру брака убывает в геометрической прогрессии. Исключение — алкогольные случаи.

ТЮС — Так что есть вариант: развестись, потом еще раз сойтись, развестись, сойтись...

ГИД — Они, собственно, этим и занимаются не отходя от кассы.

АРТ — Одна моя пациентка признавалась мне: я безумно люблю мужа, он меня тоже, но когда я смотрю на него и осознаю, что я обречена на жизнь с ним, что другие варианты уже отсечены, исключаются, что нам вместе увядать, стареть, маразмировать, а потом подыхать — мне хочется выпрыгнуть из окна или убить его. И я начинаю искать повод для ссоры...

ВЛ — Судьбофобия — боязнь закрытых пространств жизни... Такая боязнь в каждом из нас где-то прячется, потому что безвариантность — замкнутая нора существования — страшный эволюционный тупик: из-за этого вымерли динозавры...

ГИД — И мы тоже из-за этого вымрем?..

ТЮС — Так что же мы посоветуем нашей Катрине насчет сохранения свежести восприятия и одновременной выработки чеховской воспитанности?

ГИД — Читать Чехова, смотреть его пьесы?..

ДС — Вот этого, пожалуй, не надо. Лучше ставить пьесы самим, у себя дома. Не чеховские, а собственного сочинения, на материале своей жизни. Можно на видео или на аудио записать какой-нибудь свой образцовый скандальчик (только заранее заготовить аппаратуру), потом вместе посмотреть, оттошниться и отсмеяться, обдумать и обсудить, потом переиграть в жанре гротесной пародии...

Несколько пар, таким вот творческим образом переработавших свое обоюдное психопатство, превратились у меня из крокодилов, пожиравших друг дружку, в благовоспитанных аистов...

Как разбудить жену?

В.Л, мне 29 лет, занимаюсь проблемами управления бизнесом..

Читал ваши произведения, почерпнул много полезного.. Но вот встал перед задачей, которую не могу разрешить.

У меня жена и годовалый ребенок. Пока мы жили порознь и встречались, все было хорошо, была любовь, были страсти и переживания, было все. После свадьбы и переезда под одну крышу все это исчезло, как дым..

Мы живем у ее родителей. Семья очень большая, ко мне относятся хорошо. Но для жены я стал только одним из членов этой семьи, не больше, а пожалуй, даже и меньше. Рождение сына ничего не изменило, только усугубило.. Сначала было трудно, не было времени для ласк, развлечений и т. д.; сейчас сын подрос, и родители помогают, однако отношения между нами сделались еще холоднее. И самое страшное, что ей это кажется вполне нормальным. Сперва говорила, что ей надоедает моя излишняя привязанность, моя внимательность к ней. А недавно созналась, что охладела ко мне, хотя это и для нее самой страшно.

Чтобы возобновить прежнее чувство, влить свежую струю в наши отношения, я хотел научить ее играть, заняться ролевым тренингом, надеясь, что мы будем лучше понимать друг друга. Но, о ужас, она не поняла меня, как я ни бился.

Она не смогла одолеть вашу книгу «Искусство быть другим», которую я ей дал, —

она засыпает, прочитав 2—3 страницы любой книги. Как-то она сказала, что ее мозг постоянно спит и не может проснуться, она и не хочет его будить.

Теперь нам практически не о чем говорить. Любую тему, не касающуюся домашнего хозяйства, она отвергает. Она спит. Как мне разбудить ее? Помогите! *Андрей*

Андрей, задача раскладывается по меньшей мере на три уравнения с неизвестным числом неизвестных: Она, Он, Дитя.

Она. Описана Им так поверхностно, настолько с Его точки зрения, что почти не видна. Но в девяноста девяти процентах случаев именно так и пишут, и рассказывают мужья о женах, а жены о мужьях. Запрос чисто манипулятивный, задача понять, вникнуть — не ставится. Владельцы автомашин, перечисляя механикам неисправности своих «Жигулей», несравненно более проникновенны.

СОЗНАЛАСЬ, ЧТО ОХЛАДЕЛА КО МНЕ, ХОТЯ ЭТО И ДЛЯ НЕЕ САМОЙ СТРАШНО...

Его интересуют причины? Он спрашивает себя: так ли это?.. Всякие заявления о чувствах или отсутствии таковых, тем более у людей, связанных узами родства и любви, надо принимать с определенной долей сомнения. Неоднозначность. Трудность самоотчета. Вольная или невольная манипуляция. Поверхность, заслоняющая глубину — текучие настроения, столь же убедительные, сколь преходящие.. Затмения иной раз на годы...

Что значит «охладела»? Физически? Или не чувствует больше любви, равнодушна?

А почему «страшно»? Любить «надо», а не получается? Разочарование?..

А если просто усталость? Вот это засыпание мозга, о котором сказала, — частое состояние, парализующее на какой-то срок и влечение, и понимание...

Рождение ребенка, особенно первого, резко перестраивает организм — иногда так, что женщина перестает себя узнавать.

У многих молодых матерей бывают депрессии истощения — не столько физического, сколько эмоционального. Эти состояния требуют прежде всего отдыха. Редкий мужчина может понять, сколько сил отдает женщина рождению нового существа и вхождению в материнство, даже если кругом много помощников.

Понимает ли Он, что и замужество, само по себе, требует не одного года вживания?..

Догадывается ли, что в роли Жены у нее, еще девочки, неизбежны внутренние конфликты, столкновения побуждений? Знает ли, как тяжело, пусть и при идеальных отношениях, быть одновременно Дочерью, Женой, Матерью?

А ведь еще есть необходимость быть свободной женщиной (не в узком смысле), быть человеком, вне зависимости от пола...

Знает ли, что жизнь со старшей родней неизбежно поддерживает — и у Нее, и у Него — инерцию детства со всеми его неизжитыми конфликтами? Что все это переносится и на нового спутника жизни, к тому вовсе не расположенного, явившегося со своими конфликтами, со своими притязаниями?

Вынь да положь любовь, заботу, внимание, высокий накал чувств, интересность, совершеннейшее понимание на завтрак, обед и ужин!..

Догадываюсь, какой вариант решения мелькнул у вас после этих слов.

Отделение. Вон из-под крылышек, самостоятельность! Во что бы то ни стало!

Прекрасно. А куча других проблем, начиная с финансово-бытовых... И в новом гнездышке начинаем не с труда вживания и понимания, а с очередных притязаний...

ДЛЯ НЕЕ Я СТАЛ ТОЛЬКО ОДНИМ ИЗ ЧЛЕНОВ ЭТОЙ СЕМЬИ, НЕ БОЛЬШЕ, А ПОЖАЛУЙ, ДАЖЕ И МЕНЬШЕ...

Вот, вот они — притязания, вопиющим, открытым текстом. А Я – Я! – желаю быть БОЛЬШЕ!

А почему, собственно? По какому праву?

— Женясь, я женился на Ней, а не на ее домочадцах. Полюбив Ее, я не взял на себя обязательства полюбить заодно и тещу, и тестя, и иже с ними. Семейство это я получил в нагрузку, принудительный ассортимент. Даже идеальные люди, даруемые судьбой в качестве родственников, располагают к тихому озверению. Шестеркой быть не хочу. Хочу быть главой семьи.

Так?..

Но тогда стоит подумать об основаниях...

О УЖАС, ОНА НЕ ПОНЯЛА МЕНЯ, КАК Я НИ БИЛСЯ...

Когда один человек не понимает другого, то возможных причин три:

а) не может, б) не хочет и в) нет подхода (желающий быть понятым не умеет быть понятым).

Причина «в» основная, ибо запускает в ход и две предыдущие. Когда некто, желая быть просветителем, употребляет для этого насилие, хотя бы и в такой форме, как обязывание прочитать мою книгу...

«Да ведь я не обязывал! Я только просил, убеждал, настойчиво предлагал...»

А Она хотела лишь одного: чтобы Он оставил ее хоть ненадолго в покое...

ЕЙ НАДОЕЛА МОЯ ИЗЛИШНЯЯ ПРИВЯЗАННОСТЬ, МОЯ ВНИМАТЕЛЬНОСТЬ К НЕЙ...

Своеобразный нюанс. Чаще жалобы на невнимательность. Но знает ли Он, что не так уж редко невнимательность проявляется именно излишней внимательностью? Улавливает ли, что у привязанности и навязчивости — один корень?

ТЕПЕРЬ НАМ ПРАКТИЧЕСКИ НЕ О ЧЕМ ГОВОРИТЬ...

Не катастрофа, если понимать общение не только как разговоры.

Он. По-видимому, считает себя чем-то вроде альтруиста. Относится к Ней как к машине, обязанной его понимать, ублажать и испытывать совместные чувства. Всем своим поведением выстраивает стену ответного отчуждения. Хочет помочь «проснуться», а помогает еще глубже погрузиться в депрессию. (Это так несомненно, что я чуть не забыл об этом сказать.) О Ее страданиях и внутреннем мире представления не имеет.

> Чувства, которые мы испытываем, не преображают нас, но подсказывают нам мысль о преображении. Так любовь не избавляет нас от эгоизма, но заставляет нас его осознать и напоминает нам о далекой родине, где эгоизму нет места.
>
> *Альбер Камю*

О ребенке своем практически не помышляет — в отношении ощущается даже примесь соперничества, что при такой инфантильной установке совершенно неудивительно.

Дитя. При продолжении Его сна имеет невеселую перспективу... Где ваш домашний будильник?..

Пора его завести, ибо уже готов ответ на вопрос: «Как мне ее разбудить?» —

РАЗБУДИТЬ СЕБЯ!

Праздник кончился, спасите наши отношения

Слабость обеих сторон – суть всякой ссоры.
Вольтер

Сколько в мире несчастья и сколько счастья? Мы этого не знаем и, наверное, никогда не узнаем ни по какой статистике. Но уверен: и того и другого несравненно больше, чем видится и чем даже можно себе представить. Особенно счастья. О счастье рассказывают редко, а мне и подавно, разве что о потерянном. И несчастье подает голос не первому встречному...

В.Л., мне 32 года, жене Свете 29.
Женившись, был уверен, что счастливее пары, чем мы со Светиком, не было и не будет. Но друг предупреждал (сам он разведен уже дважды), что все это ненадолго, что впереди неизбежные ссоры, разочарования, в чем-нибудь обнаружится несовместимость..

Почти четыре года все было хорошо. Но вот предупреждения начинают сбываться. Праздник кончился. Что-то изменилось и во мне, и в Светланке, отношения как-то незаметно стали напряженными и из счастья превратились в мучение. То неделями молчим, дуемся, то орем, хлопаем дверьми, бьем посуду..

Никак не могу понять, в чем же дело, что нас разъединяет? Я верен Светику, у нее тоже нет никого и не может быть (только над мыслями ее я не волен..).

Мы подходим друг другу физически и духовно, растет дочка, у обоих интересная работа, непьющие, хорошая квартира, ни с ее, ни с моей стороны нет давления родственников.

Кажется, лучше быть не может. И все равно: ссоры по любым поводам, по пустякам, бесконечные выяснения отношений, взаимные обвинения. Уже два раза собирались подавать на развод. Я знаю, что не всегда бываю прав, но не всегда и виноват!

Неужели это конец, смерть любви? Или мы с самого начала не разглядели друг в друге чего-то важного?! Надежду я вижу теперь только в помощи хорошего психолога. Спасите наши отношения! *Ярослав*

ГИД — Парень положительный и семейственный, любит жену, но в упор не видит, не понимает ни ее, ни себя, и что там за черти шуруют у них под спудом, из письма, по-моему, не разобрать. Но вообще даже удивительно, что у них это протухание и разваливание пошло только на четвертый год. По нынешним временам и два года пробарахтаться — срок солидный.

ТЮС — По-моему, этот Ярослав — из бескрайнего племени мужчин-инфантилов с женственным характером и почти без зачатков самостоятельности.

До женитьбы сидел под наседкой-мамашей, внутренне сидит и сейчас. То, что они с женой «подходят физически и духовно», скорее всего, наивная выдача желаемого за действительное.

АРТ — Ярослав, спасти отношения иной раз труднее, чем спасти жизнь. Тем паче заочно, не зная конкретно характеров, быта, болезней, стиля общения, родительских семей каждого — словом, всей **истории болезни отношений**. На выяснение конкретики приходится иной раз тратить не один месяц...

В случаях, подобных вашему, и на психолога надежда невелика, особенно если ему не удается удержаться от роли судьи, к чему каждая из сторон тянет его со всем лукавством детской недобросовестности... Надежнее, если психологом в ваших отношениях станет каждый из вас двоих. Даже в случае, если прозреет только один, шансы есть.

ВЛ — Умерла ли любовь? На этот вопрос я всегда отвечаю: пациент скорей жив, чем мертв, хотя сам о себе он может думать иначе.

ТЮС — А я заметила, что чем чаще заботливые доктора интересуются, не умер ли пациент, тем быстрей он откидывает копыта.

ДС — Я как раз сегодня принимал парочку таких вот горяченьких. Все прямо при мне: Она обвиняет Его, Он Ее, возражение за возражением, орут оба, не слушает ни один, он уже сжимает кулаки, у нее слезы... Я пытался докричаться, что лучший способ испортить отношения — выяснять их именно так... Куда там, они уже забыли, где находятся и зачем пришли, продолжали орать, находясь в характерной взаимопозе бодания — на расстоянии метра-полутора друг против друга, с напряженными плечами, набыченными шеями, вздутыми спинами, и я физически ощущал пульсирующую молнию между их мозгами...

— ВСЁООО! — завопил я, тоже себя не помня, подскочил к ним, схватил за шивороты и что было силы сшиб лбами. Шок. С минуту они стояли, обалдело шатаясь, глядя куда-то мимо пространства, на лбах начали вспухать шишки. Она стала истерически подхихикивать, у него выдавилась скупая мужская слеза. Затем молча, как мешки, повалились друг другу в объятия.

— Стоп-стоп, ребята, это не здесь, это дома... Вы меня извините, у меня нет больше времени. В следующий раз подступит — делайте как я. Да, так, как я только что с вами сделал. С разгону. Понятно?

— Понятно... Спасибо, доктор...

ГИД — Одно время, изучая социальную психологию, я занимался бытовой конфликтологией и одновременно играл в любительском народном театре. Ставили тогда как раз «Укрощение строптивой» и версию «Супружеской жизни» Бергмана. Старался наблюдать в жизни, как ругаются жены с мужьями. Как же все тропки ссор хожены-перехожены-гажены-перезагажены, как все эти бодливицы и бодливцы единообразно похожи!

Цепная реакция начинается неуловимо, с какого-то изменения настроения у одной из сторон, всегда относимого другой стороной на свой счет. Все еще в подтексте, только напряжено каждое движение, каждая интонация, каждый взгляд, волосок...

— Ты заходила к Пупышкиным?

— Ну, конечно, заходила. (*Что за вопрос, не в пример тебе я помню свои обещания. Почему никогда не спросишь, как я себя чувствую, почему не купил мыло?*) Ты же видел, я переоделась. (*Ты опять невнимателен и зануден, хоть бы раз приласкал, ночью по-прежнему храпел не на том боку...*)

— Я не слежу за тем, как ты одеваешься. (*Мне не нравится запах твоих духов, мне осточертели твои требования. Ну когда же ты наконец поймешь, что я не банальная натура. Ты похожа на свою грымзу-мамашу, будь проклят тот день, когда я...*)

АРТ — Вот-вот, сперва возникает взаимонегативное «магнитное поле», такая активно действующая черная дыра меж двоими, а уж в нее засасываются и выплевываются, как из пылесоса, все обоюдные неудовлетворения, недовольства, претензии и обиды, все неосуществившиеся ожидания и несбывшиеся мечты, все комплексы, вся чернуха, все потроха...

ВЛ — Ярослав, приступайте к мирным переговорам до начала военных действий. И начинайте с себя:

— *Милая, я раздражен сегодня, устал... Причина во мне, обычные неувязки и пустяки, повод всегда найдется... Тебе тоже, кажется, не по себе. В чем тебе помочь? В чем я тебя не понимаю, чего не вижу?.. В чем тебе труднее, чем мне?.. Подскажи, как мне лучше себя вести, чтобы тебе стало легче?* (Обнять, поцеловать...)

Шаги навстречу, шаги к диалогу. Единственное их правило — исключение обвинений...

ТЮС — Как же их исключить?! Как, если обвинение ищется и находится в каждом вздохе?

ВЛ — Оценочные суждения могут иметь разный вид. Можно сказать: «Ты идиот», а можно: «Тут что-то, кажется, не додумано, ты не находишь?» Можно сказать: «Ты козел, ты сволочь, ты дура, ты импотент», а можно: «Я понимаю твои трудности...» Искренность исключает вранье, но не исключает сдержанности и права на умолчание.

ТЮС — Это все только на бумаге гладко выходит.

А если Другая Сторона настроена обвинительно, если душевно слепоглуха, непробиваемо закрыта, тупо уперта, жлобски эгоистична и толстокожа?

АРТ, ДС, ВЛ (*вместе хором*) — Так ведь никто же не заставляет вас жить и бодаться с такой Другой Стороной. Дело вашего выбора, дело вкуса!..

***

Что важнее в семье: искренность или дипломатичность? Любовь или психотехнология общения, она же культура отношений? И то, и другое?.. Одинаково — или, допустим, 51 : 49 в пользу того или другого?..

Не знаю. Но знаю: одно без другого не выживает.

Любовь не объявляется... нелюбовь тоже

В. Л., я люблю своего мужа, мы оба уверенные в жизни, в себе и друг в друге люди. Но наша семья доживает последние дни..

Неужели можно проснуться утром и вдруг понять, что ты испытываешь к своей еще вчера половинке не более чем уважение; что ты не хочешь с ней детей; не хочешь жить под одной крышей..

Мы почти восемь лет вместе, нам по 27, мы учились в одной группе в институте, оба интересные внешне.. Но увидев меня впервые, он не обомлел, да и я тоже. Он переживал неудачную любовь, рядом оказалась я. Постепенно влюблялась в него, теряла голову..

Однажды он уже пропадал, ничего не объяснял, а я умирала — будто повесили камень на шею и бросили в воду..

Потом вернулся. Через некоторое время его друг рассказал, что в период отчуждения он пытался вернуться к предыдущей возлюбленной, получил отказ и свалился в депрессию.

Сам Андрей, вернувшись, ничего не объяснял, а я не спрашивала. Состоялись признания во взаимных чувствах, и в постели все было потрясающе. Мы стали жить вместе, а через несколько лет поженились..

С годами постельный пыл стал утихать, я переживала, говорила об этом мужу, он обижался, а потом стал меня отталкивать и замкнулся..

Два года назад завели речь о ребенке, решили подготовиться к этому морально и материально. Когда же дошло до дела, Андрей стал уклоняться, да так удачно, что я так и не забеременела.

А несколько дней назад признался, что не готов быть отцом и не может объяснить, почему. Я сказала, что люблю и уважаю его, но хочу, чтобы меня тоже любили и уважали, поэтому если через год я не буду носить под сердцем его ребенка — я от него уйду.

Он долго молчал, переживал, я предлагала ему помощь, но он отказался..

А вчера все разъяснилось — он признался себе и мне, что **МЕНЯ ЛЮБИТ** и скорее всего **НЕ ЛЮБИЛ** *(в тексте именно так. — В.Л.).*

Мы долго говорили, как прорвало вдруг.. Невыносимо больно обоим, а посмотрим друг другу в глаза — слезы наворачиваются.

Я не знаю как дальше жить.. и не верю, что это конец.. *Лена*

ГИД — Все очень свежо и остро, как будто ребятам по девятнадцать, а не по двадцать семь.

ТЮС — И у семидесятилетних бывает так. Георгий, вы что, уже забыли, что любовь всех делает дураками?

АРТ — Лена, не придавай столь детского всеобъемлющего значения СЛОВАМ как о любви, так и о нелюбви. Ты ведь уже убеждалась, как часто слова говорят одно, чувства другое, поведение — третье...

> Не принимай слишком всерьез слово «люблю». В иных случаях оно значит не больше, чем возглас «готов» на стартовой черте. А в иных — не более, чем прищелкивание языком при чтении меню в ресторане.
>
> *Левикананда*

Человек может сегодня быть искреннейше убежден, что любит, завтра — что не любит, послезавтра — наоборот... Что в этом от настроения, что от манипулятивной «подачи» — стремления воздействовать на другую сторону так либо эдак, — что от текущего переменчивого состояния души и что — твердое, определенное, сложившееся отношение?.. Иной раз и годы жизни бок о бок этого не проясняют...

Цитирую кусочек твоего письма с очень характерной «фрейдовской» опечаткой, иллюстрирующей вышесказанное. А вчера все разъяснилось — он признался себе и мне, что меня(?) любит и скорее всего не любил.

Ты непроизвольно пропустила частицу «не» после «меня», это сделало твое подсознание, и вполне возможно, что оно право.

В любом случае: произошедшее — урок для тебя, запрос на прибавку психологичности и ответственности, на душевный рост.

ДС — Несомненно: муж твой испытывает большие внутренние трудности, столкновения побуждений.

113

Конфликты эти им ПРОЕЦИРУЮТСЯ изнутри вовне — переносятся на ваши отношения. ЭТО ЕГО ТРУДНОСТИ, его нелады с собою самим.

Трудно ему любить не тебя, а себя!..

Всю его изменчивость по отношению к тебе рассмотри с этой точки зрения и постарайся вникнуть: что же с ним происходит, что не может найти места в его душевной целостности?..

АРТ — Я сказала, что люблю и уважаю его, но хочу, чтобы меня тоже любили и уважали, поэтому если через год я не буду носить под сердцем его ребенка — я от него уйду.

Сердце твое верно почуяло: пора размыкать отношения друг с друга на общую естественную сверхцель: ребенка — иначе грозит опустошение...

Но нетерпеливый ум все смешал, напутал, напортил! Разве можно требовать ребенка ультимативно, да еще как залог «уважения и любви» — это что, акция или вексель какой-то?..

Такой откровенно манипуляторский, эгоистический нажим с твоей стороны вызвал у мужа паническую «судьбофобическую» реакцию. Ну конечно же, он и вправду не готов быть отцом. (Спроси, кто бывает к этому готов?..) А ты, вместо того чтобы дать ему поддержку, эмоциональный аванс хотя бы на относительную подготовку, загнала его в угол...

Отпусти его, как ни больно и страшно это кажется — отпусти в свободу, даже чуть подтолкни (только спокойно...) — свободой, и только свободой проверяется истинность чувств либо их отсутствие.

Говорю не столько о «постельном пыле», сколько о душевном огне — он у обоих вас не погас...

Дай мне душу,
за тело я буду спокоен.
Я не требую клятв, не хочу уговора,
но узнаю доподлинно, я ли достоин,
по заверенной подписи тайного взора.

О, роди мне ребенка,
чтобы мы не погибли.
Мы дадим ему тонкое
имя из Библии.

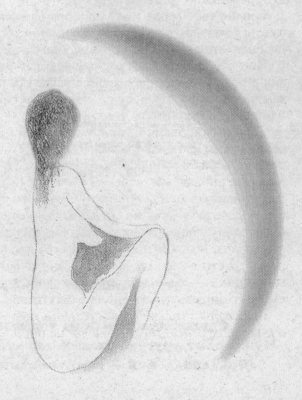

СТРАНА ИЗМЕНИЯ: У ПОРОГА

5

Если боитесь одиночества,
то не женитесь.

Антон Чехов

Служебный роман на тормозе
Муж любит другую: сказать ли, что знаю?
«Придешь домой — там ты сидишь...»

Служебный роман на тормозе

В.Л., пишу с ужасно больной проблемой, которую никак не могу разрешить..

Мне 29 лет, я 6 лет замужем за хорошим, интересным человеком (детей пока нет) и чувствовала себя счастливой. Но два года назад угораздило влюбиться в сослуживца. Не безответно (правда, я в этом сомневаюсь, решительных объяснений не было).

Этот человек (назову его Другим) мне очень нравится, но бросить мужа я НЕ МОГУ. Не из-за денег или благополучия, а во мне самой тормоз, стопор, который, возможно, забили в меня родители. Мне стыдно, страшно это сделать, больно бросить живого человека как вещь. Не представляю, как сказать друзьям — вот был у меня муж, а теперь я с Другим. Я не могу, мне стыдно..

Моментами я оказываюсь очень близка к тому, чтобы перешагнуть черту, вот как сейчас, но боюсь сломаться. А мой Другой как-то написал мне по емеле, что если не перешагнуть к своему счастью — то как раз и сломаешься, и похоже, это тоже правда..

Я застряла на рубеже. Наверное, я слабохарактерная. Что же мне делать? Просто изменять тайком я не смогу, это противно.

Так и подмывает написать письмо, наконец, признаться в любви, и будь что будет..

Что меня держит?. Трусость? Боязнь чужих оценок?. Боязнь стать взрослой?

Но умение причинить зло, предать, растоптать и перешагнуть через человека — разве это характеризует взрослого?

117

В журналах часто рассказывают истории про знаменитости — влюбляются, уходят к другим и живут счастливо. Но иногда прорывается — развод был очень болезненным. А чего уж тут болезненного — ведь не любишь — ушел и все. Оказывается, не так!

Постоянно чувствую себя виноватой — перед мужем, что думаю о Другом, а перед Другим — что ни на что не решаюсь. Ужасно боюсь, что из-за моей двойственности он станет плохо ко мне относиться. Боюсь потерять его внимание, БОЮСЬ ЕГО ПОТЕРЯТЬ!! Мужчины не любят платонически..

Помогите советом. *Зина*

ВЛ — Зина, прежде всякого совета имеет смысл уяснить диагноз положения и свой лично.

АРТ — Иначе совет пройдет мимо.

ДС — Диагностика в психологии — дело еще более рискованное и болезненное, чем в медицине, так что придется потерпеть...

ТЮС — Зиночка, я напрямик — что вижу. Ты, конечно, не блядь и не стерва, у тебя есть совесть и сострадательность, но не они — ведущие оси твоей жизни, жалеешь всех больше себя-недолюбленную. Чувства твои неглубоки, ты инфантильна, самостоятельного мышления нет...

А ситуацию твою народ давно определил так: «И хочется, и колется, и мама не велит».

ДС — Нет и самостоятельного чувствования. Повышенная зависимость от оценок и мнений других звучит основным мотивом и в отношении к возлюбленному сослуживцу.

АРТ — Я бы не сказала уверенно, что основным, но весомым, да, и существенно, что постель рассматривается как возможная вынужденная жертва ради продолжения отношений... Все-таки есть, видимо, и что-то такое, чего Зине не хватает в отношениях с мужем и что есть или грезится в отношениях новых. Надо бы осознать, что именно.

ТЮС — Грезится, это точно. Насколько я поняла, возлюбленный сослуживец Зиночке никаких реальных жизненных альтернатив пока что не предлагает. Отношения зависли на степени флирта.

ГИД — Так это же и есть самое возбуждающее: предвкушение, упоительно и мучительно тянущаяся предварительная игра... Вот, Зина сама пишет, чего ей не хватает: **боюсь потерять его внимание..**
Внимания ей и не хватает. Внимания мужа. Внимания этого самого сослуживца, того внимания, от которого она, видно, впала сейчас в серьезную наркотическую зависимость. Женщине всегда не хватает мужского внимания...

АРТ — Смотря какой женщине и какого внимания. Иногда постоянное отсутствие или, наоборот, слишком однообразное присутствие таких мелочей, как поцелуй перед сном, кофе в постель или почесать спинку, может привести к ощущению, что вся жизнь вместе с человеком — ошибка, что судьба уже умерла или неизлечимо больна...

ВЛ — Зина, ну вот, наконец, и советы. Ломать — не строить. Осознай ясно свой выбор: свернуть ли шею своей, скажем так, прихворнувшей судьбе, уже выбранной, или вылечить ее и оздоровить. Ломать ли дом, уже построенный, хотя и не совершенный, и пытаться на развалинах его возводить новый?

Из неизвестного стройматериала... Или не ломать, а достраивать и перестраивать?

ДС — Как правило, незадачливые судьболомы не различают между собой две огромные и совершенно РАЗНЫЕ задачи, составляющие перемену судьбы: уход **ОТ** — и приход **К** — выход из прежних отношений — и вход в новые.

Пытаются их подменить друг другом или сделать одно посредством другого. Но это невозможно, одно через другое не решается, лишь осложняется, и осложнения бывают смертельными... Сколько на свете мужей и жен, пришедших к любовницам и любовникам, но так и не ушедших от прежних жен и мужей, сколь незавидны участи и тех, и других...

ТЮС — А сколько ушедших, но к добру не пришедших, поменявших ярмо на дерьмо?..

АРТ — Вопрос: уходить **ОТ** или не уходить, покидать мужа или нет, решается просто. Сосредоточься и спроси себя: ушла ли бы я от него не к кому-то, не к другому, а просто: ушла бы? Хочу ли я уйти **ОТ**?

Если ответ: «нет», то и вопроса нет. Если «да» — то уходить можно (никто не имеет права сказать тебе **нужно**, даже будь муж чудовищем).

ГИД — А если «хочу, но не могу»?

АРТ — Это очень часто бывает, как и «могу, но не хочу». Опять же спросить себя в тишине: «почему». Ясно сознать — что удерживает.

А дальше — решать...

ТЮС — Зиночка, ясно все: дави блажь, срочно меняй работу и побыстрей рожай от мужа ребенка.

ВЛ — Что до прихода **К** (твоему возлюбленному), то здесь и вопроса пока что нет: ты даже не знаешь еще, есть ли дорога и есть ли куда идти.

Объяснение в любви, даже взаимное — только заявка на разведывание пути...

*М*уж любит другую: сказать ли, что знаю?

В.Л., пять дней назад случайно, неумело делая рассылку по почте, я прочла письмо моего мужа к другой женщине со страстными объяснениями в любви, со стихами, с жалобами, с мольбами о встрече.. Шок и жуткую боль испытала, физически трудно переносимую..

Мы женаты II лет, двое детей. Он никогда мне не говорил, что любит меня, вернее, говорил, что не знает, что такое любовь.

Я это приняла и как бусины стала нанизывать на свою душу частички счастья, выпадавшего редко.. Ну не нуждается муж в моем тепле, не допускает к себе близко, не доверяет, не смогла я стать ему настоящей подругой.. Может, можно еще наверстать, стать другом детям..

Я слаба душой, слишком жалостлива к себе, хотя злость на себя тоже есть и помогает выкарабкиваться из трясины. Когда не жалею себя — гораздо легче..

Как быть дальше? Рассказать мужу, что я прочла его письмо, или нет? Терпеть и притворяться? Это унизительно, но я с каким-то противным чувством удовлетворения осознаю, что готова унижаться до последнего..

А вот сейчас думаю: себе я не могу приказать не любить, себя хорошо понимаю — так почему не могу понять и принять чувства мужа? Эта мысль немного помогает, слезы ушли, накатывают, только когда представляю, какими глазами он смотрит на НЕЕ..

Как себя встряхнуть, как убедить, что смогу жить одна? *Надежда*

PS. Я еще напишу, ладно? Не ради ответа, просто мне нужно говорить, потому что заметила: как только боль опишешь точными словами, она принимает точный размер, а пока ворочается внутри — Вселенной равна..

Осознаю, что все это урок мне, только не понимаю смысла — чему нужно научиться?

Надежда, смысл жизненных уроков не всегда описуем словесно и не всегда вместим даже в сколь угодно развитое сознание. Общепафосные определения вроде «учиться любить», «учиться умирать», «учиться терять», «учиться свободе» — хоть, может быть, и верны, но ведь холодны, правда же? — а боль горяча, как лава, о смысле своем не ведает...

Рассказать мужу, что я прочла его письмо, или нет?

Да, наверное, рассказать когда-то придется. Только не стоит спешить, ведь известие это будет и для него подобно разрыву бомбы... Лучше дать себе время, месяц хотя бы, на самоотстраненное наблюдение за происходящим (включая саму себя) — чтобы точнее понять, какова реальность и к чему клонится. Мужа глубже прочувствовать изнутри — каково ему...

Важно понять: переживаемое им сейчас — часть ЕГО жизни, ступень ЕГО внутреннего пути, ЕГО трудность, быть может, даже болезнь — в НЕМ идет борьба противоборствующих сил. Ты сейчас больше свидетель, чем участник событий...

Похоже, эти отношения сулят ему не много радости, а много боли, и должны быть пройдены именно как жизненный урок. Достойная цель, которую ты **уже сейчас можешь** поставить перед собой — **помочь ему** получить этот урок, пройти испытание.

И притом — очень важно! — вовсе не обязательно объявляя о своей помощи. (Он может ее не принять, счесть за хитрость, за покушение. Или наоборот — принять как чересчур должное...)

Будешь ли ты жить одна — точнее, с детьми без мужа, — пока неизвестно. Готовой стоит быть ко всему — но ко всему, конечно, нельзя быть готовой и плавать, не войдя в воду, не научиться...

Вспомни о многих миллионах брошенных жен, живущих на этом свете. Вспомни о вдовах, о матерях-одиночках... Ни одна из них заранее к своей судьбе подготовиться не могла, даже если пыталась. Но великое большинство живет, и многие сносно, а некоторые и счастливо!..

Рассказать мужу, что ты прочла его письмо, лучше уже при каком-то созревшем разговоре о вашей дальнейшей жизни, если дойдет до этого. Учти почти стопроцентно вероятную защитную реакцию: он будет уходить от чувства вины, оформляя это в виде защиты от посягательств на его личную жизнь...

Надежда, ты хорошо сделала, что написала мне — как только боль точно опишешь словами, она принимает точный размер..

Это замечательно точно сказано.

Укрепляйся! Живи!..

В.Л., я не знаю, как описать то, что со мной произошло после получения вашего письма. Иначе как чудом это не назовешь. Я СЧАСТЛИВА, АБСОЛЮТНО СЧАСТЛИВА!!! Представляете! Господи, как же так случилось. Я изменилась, совсем другая, а слов описать это нет.. Стала видеть и слышать мир, впитываю все заново, ЛЮБЛЮ ЖИЗНЬ! *Надежда*

«Придешь домой — там ты сидишь...»

В.Л., я встал перед очень сложным вопросом — сохранять или нет свою семью. Вместе живем уже 7 лет, сыну 6 лет.

Вся проблема в том, что если своего сына я очень люблю, то о жене такого сказать не могу. Врать и притворяться не умею и не хочу, поэтому на все вопросы типа «любишь не любишь» приходится отшучиваться.

До женитьбы я был человеком компанейским, веселым, сейчас замкнут в себе. Домой не тянет. Как придешь — начинает сразу болеть голова. Стараюсь больше времени уделять работе. Все это почти с самой женитьбы.

А недавно вот встретил женщину, которая понимает и любит меня, и мне с ней очень легко. Стали появляться мысли, а не бросить ли все на.. и не попытаться ли построить нормальную семью во второй раз.

Единственное, что держит: сын. Если уйду, жена его испортит. У нее слабый характер, все семейные бытовые проблемы приходится решать мне. Жена не работает (это один из самых больных семейных вопросов), так как, с ее слов, «пока не будет второго ребенка, нет смысла идти на работу, все равно в декрет уходить». Приходится работать одному с утра до вечера. Приходишь домой, а там еще ворох нерешенных проблем.

А иногда так хочется отдохнуть и побыть хоть немного простым слабым человеком.

Хотел бы найти человека (психолога и т.п.), который бы помог разобраться в себе. Так жить уже нет сил. Все равно ребенок видит, что отношения у нас не сахар. Да и у меня, когда я дома, отношения с сыном не очень хорошие. Дома я не могу быть самим собой, не могу быть ласковым (хотя очень люблю «телячьи нежности»).

Буду благодарен, если сможете мне чем-нибудь помочь. *Александр*

ДС — Один из типичных случаев, когда под видом помощи «психолога и т.п. чтобы разобраться в себе» ищется лазейка для бегства от ответственности решения, касающегося не только себя...

ВЛ — Желаемым нашим ответом для Александра было бы: «Не бойся, уходи к другой, ребенку от этого плохо не будет, наоборот, будет лучше».

ДС — Но этого ответа мы ему не дадим, потому что в данном случае это неправда.

ТЮС — А что, много ли случаев, когда правда?

ДС — Ну, когда папа, например, пьет, дерется или совсем уж невыносимо зануден... Когда мама гуляет...

АРТ — Резонный вопрос: «А куда смотрел, когда жену выбирал, женился и зачинал ребенка», тоже не зададим, ибо ответ известен.

ТЮС — А вы заметили? — иногда так хочется отдохнуть и побыть хоть немного простым слабым человеком.. Мужичку хочется ребеночком побыть.

Простеньким таким, слабеньким. Чтобы им управляли и баловали чуть-чуть, когда не шалит. Наверное, новая пассия и готова прибрать его к твердым заботливым материнским ручкам.

ГИД — И тогда мало не покажется...

ВЛ — Алексей, покуда не совершилось непоправимое, не ломай судьбу, оставайся в семье, воспитывай сына, а с женой поддерживай достойные отношения уважающих друг друга людей, связанных общей ответственностью за рожденное существо.

Притворяться и врать не надо: достаточно быть естественным и по возможности бережным. И не отделять свое отношение к любимому сыну от отношения к жене — старайся эти отношения соединять пониманием: вы все трое — одно, организм единый.

Не в том дело, что, когда ты уйдешь из дома, жена «испортит» ребенка, а в том, что разрушится его мир, мир с родителями, с папой и мамой — нанесется глубочайшая психотравма, душу разрежет пожизненная необратимая трещина.

Не тешься иллюзией, будто твое счастье на стороне (это еще вопрос и вопрос...) сделает тебя способным осчастливить и сына. Наоборот, будут тяжелые осложнения, и ты это уже чувствуешь.

Нельзя найти счастья в браке, если вы не принесете его с собой.

Фазиль Искандер

Понятно, тебе хочется отдохнуть от семейных тягот, побыть «слабым и простым». Но ведь это детская утопия. Новая семья с неизбежностью принесет и новые тяготы, которые никак не отменят твоего отцовства в семье оставленной, а лишь осложнят его.

Никуда не денешься, семья — это труд, отдыхать будем в могиле!.. Работай в семье на свет и взаимопонимание, не слабым, а сильным будь!

Как, не знаешь?.. В душе
непрерывно текут
параллельные жизни:
ады, раи свершаются,
коммунизмы, фашизмы...

А знаешь, какие в косынке твоей
извиваются змеи?..
А знаешь, как я изменяю тебе
за твои запасные измены?..

Так знай же и то,
что под сенью соседней сосны
мы друг другу верны,
мы друг другу навеки верны...

6

Все заботы и труды человека — для рта его,
а душа не насыщается...

Экклесиаст

**Жена изменила, хочет изменять дальше?
Как его вернуть, пока не увяз?..
Изменил себе, потом изменили ему...
Виновата ли соломинка,
что она не спасательный круг?..**

Жена изменила, хочет изменять дальше?

В.Л. мне 37 лет, образование высшее, работа интересная и хорошо оплачиваемая. Женат уже почти 13 лет, дочери 9 лет.

Год назад у моей жены появился другой мужчина. Познакомилась в командировке на учебе в Москве. Я об этом узнал почти сразу: хорошо изучил свою жену, почувствовал.. Да и еще и доброхоты нашлись, заложили ее.

ОН женат, тоже есть дочь, и живет почти в тысяче километров от нас.

Несколько раз пытался поговорить с женой, разговора толком не получилось.. Во всем обвиняет меня: был недостаточно нежен и внимателен, еще лет 8 назад хотела подать на развод, считала, что у меня есть другая..

Знаю: не ангел, действительно не всегда внимателен и бываю вспыльчив, но никогда не изменял. Для окружающих мы идеальная пара, знакомые нам завидуют.

Жена у меня вторая женщина в жизни. Был ли кто-то у нее до меня, не уверен, говорила, что я первый.. Я ее люблю, она у меня умница и красавица. Но весь этот год превратился в кошмар.. Не могу жить, зная, что она меня постоянно с НИМ сравнивает, проскакивают такие высказывания, хотя она и не отдает себе в этом отчет..

Когда узнал, что у нее появился другой, начались проблемы с эрекцией: пришлось принимать таблетки. Удовольствие от близости перестал получать.. Жене об этом не говорю, не хочется давать повод себя сравнивать..

Говорит, что любит меня, а я не могу ей верить, зная, что она рвется в Москву, чтобы с НИМ опять встретиться. Заговорил о разводе. А она задала вопрос, на который я ответить не смог: «Как дочке объяснишь?»

Как? Не знаю.. Сам рос сиротой, мать нас с братом вырастила, и делать своего ребенка сиротой при живых родителях не могу. Девочка растет счастливая, нашей любовью не обиженная, веселая, хотя уже замечает, что у нас с мамой не все в порядке.

Не знаю, как жить дальше. Психую, становлюсь сволочью, дошло до того, что начал тайком читать ее электронную почту..

Люблю ее, но жить во вранье тоже не могу. Зреет желание закончить все разом: в ящике лежит заряженный пистолет..

Поговорить не с кем: хотя есть друзья, мама и брат, но никогда в жизни никому об этом не скажу.. *Константин*

ГИД — Узнавая о подобных историях, а имя им легион, поневоле думаешь: неплохие все же придумки — ветхозаветный патриархат и ортодоксальный ислам. Верность жен обеспечена чем возможно, измена карается, никаких служебных, командировочных, курортных, интернетных и прочих романов не может быть даже в мыслях...

ТЮС — Прекрасна жизнь, когда изменившую жену побивают камнями, а мужу дают субсидию на содержание наложницы или еще одной жены по известной рекомендации: имей столько жен, сколько содержать можешь. Идиллия справедливости: одним можно все, другим ничего.

Только не про вас эта мечта, мужички российские, европейские и американские. Цивилизованное человечество этот павианский рай, благодарение Богу, уже проехало.

ДС — «Благодарение Богу» в данном случае можно понимать очень конкретно. Первым и величайшим эмансипатором, освободителем женщины от патриархального рабства стал не кто иной, как Христос — в том знаменитом евангельском эпизоде, когда в последний миг остановил разъяренную толпу, готовившуюся убить женщину, изменившую мужу: «Кто из вас без греха, пусть первый бросит в нее камень...»

АРТ — Да, либерализация женщины началась именно в этот миг. Христос вообще был более чем снисходителен к женским слабостям и грехам — одна Мария Магдалина, блудница, чего стоит. Будь я феминисткой, я бы начинала и заканчивала каждый свой день именем Христа...

ГИД — Но вы все же не феминистка, вы феминолог и, наверное, можете объяснить, почему столь многие жены ищут худа от добра, изменяют не плохим, а как раз хорошим и самым хорошим мужьям?.. Почему и зачем — когда от них же, от женского сословия, идет и известное научное наблюдение: х... на х... менять — только время терять?

АРТ — Достоверность данного наблюдения, стоит заметить, находится в процессе перманентной экспериментальной проверки. Жены изменяют мужьям ровно по тем же причинам и тем же мотивам, что и мужья женам. Только переживается и формулируется это, конечно, иначе — по-женски.

ТЮС — Тот же вопрос к вам, мужское сословие: почему вы изменяете не плохим, а хорошим и самым хорошим женам?

ДС — Почему после кремового торта тянет на моченые огурцы?.. Пока пистолет не выстрелил, давайте человеку ответим.

ВЛ — Константин, твоя боль более чем понятна... Времена сейчас для тебя такие, что выбирать приходится между плохим, худшим и наихудшим. Расставим относительные приоритеты — или, сказал бы я, обозначим круги ада, по которым возможно движение выше или ниже...

Наихудшее — самоубийство: полная катастрофа, абсолютное поражение.

Худшее — жизнь во вранье, муки ревности, моральное самоуничтожение, равно как и грязный развод с моральным взаимоуничтожением и искалечением ребенка...

ТЮС — А плохое — все остальное?..

ГИД — И что может быть «остальным», если худшее происходит как раз сейчас?..

ВЛ — Жизнь в непрерывной боли, в безысходной тоске, в неверии, во внутреннем одиночестве — это твое здесь-и-сейчас, Константин, это тот круг ада, из которого пока нет исхода, но только ПОКА — если, приняв это просто за ФАКТ, ты начнешь собирание и перегруппировку душевных сил.

Приходится принимать как факт и теперешнюю (или всегдашнюю?) душевную закрытость жены, и неизвестную (или известную?) тебе долю лживости.

Я не вижу зазорного в получении сведений, необходимых для ориентировки, включая и все, что относится к «нему» и «их» отношениям. Но лучше будет, если удастся воздержаться от выяснения так называемых интимных подробностей — главное уже ясно, и никакая «конкретика» на решение не повлияет, а повлияет неясная пока сумма (скорее, разность) душевных состояний — твоего и жены.

АРТ — Вопрос о разводе, заданный себе и жене, пока что не имеет ответа, но на повестке дня остается. Возможно, развод все же понадобится, и именно в интересах ребенка.

ГИД — Один мой друг, тоже Константин — верное имя для верного мужа — талантливый журналист и неслабый выпивоха, на восьмом году семейной жизни (дочке было уже шесть с половиной), случайно узнал об обманах и изменах жены, «слабой на передок». Сразу, в этот же день и час начисто завязал с питьем. Резон: пить можно в радости, но не в горе. Если продолжу пить в ТАКОЙ данности, не смогу себя контролировать, наломаю дров или просто сопьюсь. А нужна в такой данности только ясная голова и никаких обезболивающих.

ТЮС — Уважаю. Истинно мужское решение.

ГИД — Ну вот, а потом сказал жене: ты свободна, и я свободен. Продолжать с тобой прежнюю жизнь не могу: слишком тебя люблю и слишком ревнив, еще раз поверив и обманувшись, могу убить, а превращаться в пожизненного охранника твоей п... смысла не вижу. Мы больше не супруги, только партнеры по воспитанию ребенка и общим житейским делам, пока они есть. Формальный развод мне не нужен, если тебе понадобится, то в любой момент. А вот ребенок — тут не свободны ни ты, ни я. Ребенок ни в чем не виноват и не должен из-за нас пострадать. Для ребенка мы остаемся семьей и должны по-доброму договориться, как жить одновременно и порознь, и вместе...

ТЮС — И как, договорились?

ГИД — Отчасти. Целая история...

ВЛ — Для продолжения этой книги.

Как его вернуть, пока не увяз?..

В.Л., я узнала, что мне изменяет муж. Мне 38 лет, ему 39, я работаю на крупном заводе ведущим инженером, он электронщик.

Нашему браку 15 лет, и никогда у нас с Сергеем проблем в отношениях не было.

С недавнего времени Сергей начал работать в вахтовых командировках в Н-ске, появились деньги, профессионально самоутвердился.

Я отпускала его в отъезды с легким сердцем, всецело верила. Очень скучала, очень люблю.. С 14-летним сыном ждала его дома, и мы оба делали все от нас зависящее, чтобы папа Сережа чувствовал себя кормильцем, добытчиком. Устраивали праздники в честь его приезда..

Сейчас мы купили квартиру, влезли в огромные долги, переселились из коммуналки, где жили 10 лет. И вот когда, казалось бы, все должно наладиться окончательно, я почувствовала интуитивно: что-то не так..

Имела с Сергеем долгий разговор, и он признался, что у него в Н-ске связь с женщиной. Она тоже летает туда в командировки, у неё муж и сын. Ну и что, говорит, из-за двух-трех эпизодов ты устраиваешь такую истерику?. ТАМ — все так живут..

Три недели рыданий и выяснения отношений.. Сначала я выставила Сергея из квартиры, сказала, что не могу его видеть после такого предательства. Потом он вернулся.. Горячие объятия, бурная постель, я у его ног, все прощаю и боготворю..

А потом он уезжает. ОПЯТЬ ТУДА.

Уезжает К НЕЙ.

Не знаю, как жить теперь. Выбита почва из-под ног. Отчаяние. Знаю, нужно было молчать или как-то по-другому себя вести.. Все сделала с точностью до наоборот.

Я не хочу терять мужа. У меня будто сердце вынули. А Сергей спокоен. Уже привык жить ни в чем себе не отказывая. Бросать эту работу категорически не хочет, да и долг у нас висит, я стала заложницей этой квартиры, которая мне теперь не мила..

Собираясь в командировки, берет с собой большие суммы денег, хотя понимает, что выплачивать долг нужно, но как всегда надеется, что я что-нибудь придумаю.. Ясно, такие деньги ему там нужны на любовницу.

СЕЙЧАС ОН ОПЯТЬ ТАМ, ОН С НЕЙ.

Скоро вернется домой, круг ада продолжится.. Как мне его вернуть к нашей прежней жизни в любви, верности и доверии? Как переломить ситуацию, пока он не увяз ТАМ окончательно? *Анастасия*

ГИД — Опять служебно-командировочный роман. Все как по нотам...

ТЮС — Супербанал, при котором ждут однако же небанальных рекомендаций.

ДС — Да, о таких случаях говорят: «банальный», но я предпочитаю термины «густочастотный» или «весьма вероятный». Банал относится к внешнему.

А тут, при вопиющем однообразии положений, внутреннее содержание всякий раз иное на вкус, на запах, на сочетание красок, на мелодические изгибы, хотя жанр, казалось бы, всего лишь попса...

АРТ — Нет ничего банальней, чем боль и любовь. Ну и смерть, конечно.

ВЛ — Это уже запредел, абсолют банальности, а нам надо сейчас в очередной раз поддержать банальную болящую жизнь...

ГИД — Анастасия — человек с сильным характером, держится достойно. Уже выходит из послеударного шока и готова сражаться.

ТЮС — Вопрос — сражаться за что?.. И как всегда и всего прежде — стОит ли?

ДС — Этот главный вопрос обычно решается задним числом... Здесь же на данный миг как бы решен и, похоже, обсуждению не подлежит.

АРТ — Для конкретных советов, как и обычно, недостает информации. А именно: что за типесса эта любовница, ее жизненное положение и характер, степень глубины отношений с Сергеем, что связывает их, куда движется... Обо всем этом Анастасия сейчас не имеет достоверного представления — у нее только две «версии»: предоставленная изменившим мужем, на энную долю ложная, и своя собственная, затопленная эмоциями...

ТЮС — Ловля серого кота в темной комнате.

ГИД — Свет зажечь надо. Свечу хотя бы. И посидеть тихо. Недолго. А потом дальше жить...

ТЮС — А котику выставить миску вискаса и подождать, пока проголодается и сам вылезет...

АРТ — Анастасия, сейчас тебе прежде всего нужна внутренняя тишина, хоть чуть-чуть... А свет можно увидеть и в глазах сына, на тебя глядящих с любовью, и лучик какой-то, быть может, через эти вот строки...

«Переламывать ситуацию» пытаться не следует, пока не убедишься, что у тебя достаточно для этого и необходимых сведений, и необходимых сил.

Силы соберешь постепенно. Главное для этого: до корней осознать и ПРИНЯТЬ свое нынешнее положение. Как можно быстрее перестань себя жалеть и сокрушаться о потерянном.

Прошлое кончилось.

Но жизнь продолжается.

Да, теперь ты живешь в боли, в горе, в тоске и медленно привыкаешь к этому, как привыкают люди к холоду и полярной ночи... Да, ты теперь ждешь дома человека, ведущего раздробленную пополам жизнь: здесь, с тобою и сыном — и ТАМ, где тебя физически нет. (Но это не значит, что нет и психически...) Расколотая душа: одна часть с тобою и сыном, другая...

Как долго это продлится? Что будет дальше?

Никто этого не знает, и сам Сергей меньше всех.

Мы не знаем с тобой сейчас, что конкретно потребуется, чтобы собрать сведения (понимаешь, о ком и о чем речь...) — знаем только, что делать это надо столь же решительно, сколь осторожно, по всем правилам проведения разведывательных операций. Что-то косвенным образом можно узнать и понять через самого Сергея, но он не должен до времени догадаться, что ты намерена узнать о его связи больше и вернее, чем он сам рассказывает. А если и догадается (человеку с соображением такую вероятность предусмотреть легко) — все равно, карты не раскрывай, скрытность на скрытность.

Будь уверена: с человеком, уже обманувшим и изменившим, ты имеешь полное право на ответную стратегию в игре, затеянной не по твоей воле, а по его. Имеешь право на долю хитрости, как бы ни любила его, как бы ни прощала... Ты победишь!

*И*зменил себе, потом изменили ему...

В.Л., я думал, что уйти из жизни легко, но не смог, очень боюсь Бога..

Мне 37 лет, я был дирижером, закончил Гнесинку. А работаю менеджером. Ненавижу купли-продажи, но нужны деньги..

С женой Тасей в гражданском браке уже 4 года. И вышло так, что, живя с ней и борясь за выживание и благополучие, я потерялся, растворился в ее жизни. Читать перестал, к фортепиано не подхожу, только работа и дом. Отупение: просто сижу и слушаю жену..

Тасе 29 лет, хороша собой, сексапильна. По профессии историк, аспирантка. Последние полгода писала диссертацию, вся ушла в работу и все больше отдалялась от меня, все упорней отказывала в постели..

Я думал: устает, нервничает — не буду навязчивым, буду помогать, чем могу. Убирал, готовил и мыл посуду, стирал, гладил, вязал, шил, превратился не пойми в кого..

Вдруг Тася объявляет мне, что влюбилась в молодого преподавателя ее института. Нет, ничего физиологического: просто ей интересно с ним, она восхищается его мыслями. Глаза горят, слышу только его имя..

Я на эту ее любовь среагировал каким-то исчезновением: превратился в серый комок и еще больше стал брать обязанностей на себя. Хвалил ее всячески, восхищался ею, но..

Однажды Тася не пришла ночью. Явилась лишь к следующему вечеру и призналась, что изменила мне с НИМ, что поступила по-скотски, что не может себе этого простить..

Оказалось, этот «молодой гений» (женатый, кстати) перетрахал там уже всех аспиранток, она по счету шестая, «для галочки».

После этого я, конечно, ушел. Но у меня есть сын 7 лет, он не знает, что Тася не его мать (та бросила его на меня, когда ему был только год, сбежала с бизнесменом, живет в Америке). Я ничего не мог объяснить, сын скучал по Тасе, как по родной, и вместе со мной впал в депрессию..

Я вернулся. С Тасей договорились, что будем опять жить вместе ради сына.

Живем. Но это уже не жизнь, а ледяной ад.

Своего ребенка от меня Тася не хочет, говорит, что не готова, что это ее свяжет. Объясняет, что я ее закомплексовал тем, что делал по дому все сам, и она чувствует себя «скотиной неблагодарной». Сказала, что из-за того, что я ее постоянно хвалю, у нее только комплексы и чувство вины.

Как же мне теперь себя с ней вести? Ругать, заставлять делать то, от чего отвыкла? Я не умею повышать голос..

С сексом проблемы начались: было все хорошо, а теперь она холодна со мной так, что мне страшно и ничего не выходит..

Помогите, я не знаю что и как, голова кругом.. Не так уж боюсь остаться один, просто знаю, что и с другой женщиной у меня будет все точно так же.

Я пасынок природы, таким нельзя жить, надо решиться, может, Бог меня поймет и хоть он меня примет?. В себя не верю.. *Даниил*

ГИД — Даниил, ты что же, обабился и распустил нюни? В клинику, что ли, просишься? Во цвете лет, только в ум входить начинаешь, а уже готов руки на себя наложить? И про сына родного готов забыть, совсем сиротой хочешь оставить?!.

Таких подкаблучных «пасынков природы», как ты, следует, наверное, приводить в чувство впрыскиванием гормона здоровой мужской агрессивности. Будь я твоим психотерапевтом, я бы тебе не таблеток, а хороших п...лей надавал, чтобы опомнился, я бы лупил тебя до тех пор, пока не проснется природная ярость жизни! А жену твою я бы на твоем месте...

АРТ — Георгий, ваши рекомендации уже слишком понятны. Человек же сказал, что не умеет даже повышать голос. Музыкант он, душа нежная, дирижером был. Дирижеры говорят не словами, а...

ГИД — Палочками. Вот пусть и воспомнит навык.

ТЮС — И прикует жену цепью к кухонной плите, и палочкой обрабатывает, и никаких диссертаций, да?..

ДС — Коллеги, а вы обратили внимание? Сын Даниила не помнит своей родной матери, которая бросила его вместе с отцом. Бедный папа уже дважды получает по одному и тому же месту. И значит, это самое место — имя ему детскость, имя ему душа — не просто у него беззащитно, а представляет собой мишень или, как говорят нынче, подставу...

АРТ — Вирус блудобесия, позвольте заметить, посещает и тех жен, чьи мужья ничего никому не подставляют, но рожками все ж обзаводятся.

ВЛ — Приглашаем на прием?..

наша встреча слепилась нелепо
как животное тянитолкай
п о л и н я л а я   г о р с т о ч к а   н е б а
светотени в углу потолка

п о л и н я л а я   г о р с т о ч к а   н е б а
и еще два шага

теплый дом
кот приблудный голодный как демон
и судьба как погонщик с кнутом
там за облаком глухо и немо
два невидимых солнца пасет

п о л и н я л а я   г о р с т о ч к а   н е б а

в путь скорее
дорога спасет

Виновата ли соломинка, что она не спасательный круг?

Он женатый влюбился в нее замужнюю. Он требовал ее всю, она могла лишь отцеживать капельки...

Жизнь — текст тиражируемый. Но, в отличие от текста печатного, тождества экземляров — за исключением разве что натуральных клонов, однояйцевых близнецов, — не бывает. Жизненные истории никогда не повторяются под копирку, но зато непременно оказываются в ряду подобных себе, более или менее сходных — частых ли, редких ли, но содержащих одно и то же мотивное зерно, как разработки одной музыкальной темы...

Наталья Д. могла и не обратиться ко мне, если бы через пару дней после того, как получила страшное известие, не увидела на столе у сотрудницы по работе «Травматологию любви», не заглянула туда...

Стройная, гармонично сложенная, чуть полноватая шатенка с округлым румяным лицом. Цветущая женщина, «в соку», говорят о таких. Пышный рот, маленький вздернутый носик, укороченное расстояние между небольшими глазами и пухлой верхней губой с проступающими усиками — признаки яркого сангвинического темперамента: легко вспыхивающей, но не глубокой эротичности, кокетства, сентиментальности, живости и вместе с тем легковесности чувств, некоего пустодушия... Такие люди бывают разносторонне одарены, артистичны, блестящи, успешны во всем, за что ни берутся — а берутся за очень многое — но редко доводят что-либо серьезное до полноты завершения, остывают и сворачивают на обочину где-то на полпути или незадолго до финиша...

Ко мне Наталья пришла заплаканная.

— *Владимир Львович, мой друг покончил с собой. Наверное, это произошло из-за меня. Хотя в чем, собственно, я виновата?.. (Рыдания.)*

...Я самостоятельный человек... Со своей жизнью... А он... Он хотел стать со мной одним целым... Я пыталась ему объяснить, что это невозможно, а он настаивал, он настаивал... А сам вел себя двояко...

— Наталья, пожалуйста, немного спокойнее. По порядку событий. Кто вы, кто он...

— *Олег был мне друг и любовник. Ему было 37, мне 31. Познакомились через Интернет, через электронную почту. Писали друг другу длинные, захватывающие письма, это была радость любовного общения... Которой мне так не хватает в жизни... Кроме писем и фотографий долго больше ничего не было. (Затянутая пауза.)*

— А потом, как обычно бывает, дошло до перехода виртуала в реал?..

— *Да, однажды Олег написал, что уже не может меня не видеть... Пригласил на свидание. Я обещала подумать. Очень хотелось, но не пришла. Испугалась.*

— Чего испугалась?

— *Мой муж рядом со мной и днем и ночью. Мы работаем вместе, в соседних комнатах. Он мой начальник по работе, руководитель фирмы... Чтобы уйти на встречу, нужно придумать правдивую ложь. Тогда я еще не смогла переступить через черту и солгать...*

— Муж был единственным препятствием?

— *Нет, вначале еще и сам Олег своим поведением пресекал мои попытки склонить его к более интимному общению... Я ощущала черту, которую он провел между нами. Потом вдруг вообще оборвал контакт...*

— Причина?

— *Узнал, что наши дети учатся в параллельных классах, его жена работает в той же школе, где учится моя дочка Машенька. Испугался проблем. Я тоже.*

— А дальше?

— Спустя полгода Олег вдруг прислал мне открытку, поздравил с прошедшим днем рождения и написал, что не может меня забыть. Мы еще немного попереписывались о нейтральных темах, и переписка сошла на нет. Через пару месяцев он вдруг опять возник, опять написал, что забыть меня не в состоянии...

— На вас это как-то действовало, такие раскачки из долгих расставаний в новые внезапные появления?

— Да, что-то пробивалось. И пробилось вдруг. Наше общение перешло на новый уровень. Ежедневно, ежечасно мы обменивались письмами. Я могла обсуждать с ним любые проблемы, он тоже радовался такой возможности, уверял, что ни с кем ему не было так легко общаться так упоительно...

— Чем он в жизни занимался?

— По образованию физик, а работал в фирме по остеклению балконов... По жизни был поэтом, писал интересные стихи, присылал мне, я тоже ему слала кое-что свое... И еще был астрологом. Изучил эту науку сам, и получалось у него довольно хорошо. Многое рассказал мне про меня, помог мне понять некоторые из моих проблем. Обещал, что мы все их решим вместе...

— Что Олег рассказывал вам о своей семье?

— Сразу написал, что семья, что двое детей... Отношения с женой назвал «не идеальными, но терпимыми». Бросать семью не собирался, все твердил, что они без него физически не выживут. А сам такое совершил...

— Наталья, что же вас побудило познакомиться и сблизиться с ним?

— Я... искала сначала кого-нибудь... Общения с незнакомыми мужчинами... Хотела, пообщавшись виртуально, понять, как с ними нужно себя вести... В отношениях с мужем мне не хватает эмоциональной близости. Наверно, ее я и искала на стороне...

И вот человек, который понимает меня, с удовольствием обсуждает мои проблемы, помогает найти пути их решения... Олег мне признался, что любит меня, что я его любимая женщина, что не испытывал такого никогда в жизни. Сам же с горечью сознавал, что для меня он только друг, не больше...

Я не могла этого опровергнуть. Да, Олешек мне был только другом... Но очень близким, такого никогда не было... (Слезы.) Он был мне дорог, мне хотелось делать для него только хорошее. Может, это и есть любовь... Боюсь высокопарных слов...

— Когда же и как вы встретились?

— Спустя почти ровно год после первого знакомства по письмам... (Пауза. Поправляет волосы.)

Он не поразил меня, нет... К его внешности и голосу нужно было привыкнуть. Но глаза, их не описать... Его взгляд до сих пор со мной... Через месяц после первой реальной встречи стали любовниками. Мне нравились его поцелуи, его объятия, его ласка и нежность... Но он был максималист и хотел большего. Он хотел слышать мой голос чаще, видеть меня чаще и чаще. А мне вполне хватало наших редких любовных встреч и постоянных писем. По телефону я не могла с ним общаться. Дома — муж, на работе — муж...

— А он настаивал и на телефонном общении?

— Очень, и много раз. Я просила его не мучить меня, он прекращал, но мучился сам. С депрессией пережил мой недельный отпуск в июне... По возвращении поспешил порадовать тем, что его жена с детьми собирается уехать на две недели, и умолял меня навещать его хотя бы два раза в неделю. Я много раз пробовала объяснить ему, что мне очень трудно отлучиться из семьи, что мне нужно лгать, и лгать достоверно. Мне это давалось с трудом, чувствовала себя после этого преступницей, казнила и проклинала.

145

— Вы ему это объясняли внятно?

— *Конечно, и Олег говорил, что понимает меня полностью... Но не понимает, почему же я не могу чаще встречаться. Его жена уехала на пять дней, а мы встретились за это время только один раз на два часа...*

— Вам было хорошо?

— *Да, было... хорошо... Если бы не муж. Мне пришлось объясняться с мужем... (Промельк страха в лице...)*

...Объясняться и до, и после...

— Мужа вы любите?

— *Я уважаю его. И люблю по-своему... Не хочу делать ему больно, заставлять мучиться.*

— Каков муж как человек и как мужчина?

— *Намного старше меня. Но физически здоров, в очень хорошей форме. Человек целеустремленный, успешный в работе, мужественный во всем, лидер по жизни. Характер очень мужской, твердый до жестокости. Но и ранимый тоже... Честный и верный, надежное плечо. В сексуальном отношении очень сильный. Удовлетворяет меня полностью в смысле оргазмов, даже чересчур. Но груб и однообразен. Не способен на такую нежность и ласку, какая нужна для меня. Мне нужна и мужская сила, как у него, и нежность, почти детская, как у Олешека... Олешек говорил: «Будешь чаще приходить, привыкнешь ко мне как к мужчине, и я тебе буду больше нужен, чем он...»*

Я пыталась усидеть на двух стульях... прыгала по раскаленной сковороде... Понимала, что конец когда-то наступит... (Пауза.) Мы с Олегом встретились только раз, через день я хотела встретиться еще, но случилось непредвиденное...

Был выходной. Я уже придумала причину отлучки из дому... И вдруг муж с утра приглашает меня на прогулку по городу. Такое предложение от него — событие, инициатива раньше исходила только от меня...

— Может быть, муж что-то в вас почувствовал?..

— *Может быть... Хотя целый год ни о чём не подозревал. Он вообще очень уверен в себе. Но где-то и чувствительный, тонкий... (Долгое молчание.)*

— Продолжайте, пожалуйста.

— *Мне срочно нужно было выбрать одно из двух: либо отказать мужу и объявить ему о моей отлучке «по магазинам» в одиночку... Он бы не подал виду, но был бы обижен и тогда бы уж больше никогда не пригласил меня на прогулку вдвоём. Либо отказаться от свидания, объяснить, что муж не отпускает.*

— И вы выбрали...

— *Я выбрала мужа. При этом понимала, что Олешеку будет больно, очень больно. Он меня ждал дни напролёт... Выбрала мужа.*

— Почему?

— *Он мне тоже дорог... Вся жизнь вместе. И вообще, может, всю эту карусель с мужчинами я затевала с мыслью наладить... улучшить... перевести на новый уровень свои отношения с мужем...*

— Измена для укрепления отношений?

— *Да... Есть такое мнение у врачей и психологов, что это помогает, читала...*

— Но есть и другие мнения.

— *Да?.. Вот... Я позвонила Олегу и сказала, что не могу... Через день он позвонил мне на работу. Сначала попрощался, пожелал счастливого отпуска, я собиралась на море с семьёй... Положил трубку. А через несколько часов позвонил ещё раз. Сказал, что у него жуткая депрессия. Что его ждёт верёвка в гараже, которую и мылить не нужно...*

Я не знала, что ответить на это... Просила не делать глупостей. Он твердил: «Ты не пришла». Я опять пыталась объяснить, какие у меня отношения в семье... Говорили долго, он успокоился к концу беседы.

Сказал, что таких плотно прижатых взаимоотношений у него в семье никогда не было, что у него свободы намного больше, чем у меня. Разговор закончился оптимистично. Обещал ждать моего возвращения.

(Долгая пауза.)

...На следующий день вечером Олег вдруг звонит мне домой. Трубку снимает муж. Приглашает к телефону. Я в панике, все может рухнуть в один миг... Говорю с Олегом резко, официально. А он каким-то отчаянно злым голосом кричит, орет будто специально на полную громкость, что звонит из автомата на вокзале, что ждет поезд с женой и что пора приучать моего мужа к звонкам посторонних мужчин... Напоследок выкрикнул: «А теперь придумывай объяснение моего звонка! Для мужа!! Для мужа!!!»

Я была в шоке. Такого я от него, чуткого, нежного и заботливого, не ожидала. Что-то сказала мужу в объяснение звонка, он съязвил, как обычно...

Буря пронеслась мимо, но у меня возник жуткий страх, я стала уже бредово бояться, что телефон зазвонит опять, что Олег позвонит в дверь, вломится в дом...

Я отключила телефон, потом опять включила, поставила звонок на минимум... Но от звонков в дверь вздрагивала до самого отъезда, когда приносили почту, счета... Пыталась позвонить Олегу домой, чтобы попросить больше так не делать. Хотела напомнить его слова: «Я проведу тебя по этому пути достойно...»

(Долгая пауза.)

Трубку либо не брали, либо брала жена. Я не решилась говорить с ней — это выглядело бы как месть. Через пару дней мы уехали. Вернувшись, я продолжала бояться телефона. Вышла через день на работу и не обнаружила в почте его приветствий...таких привычных, родных... Написала сама. В ответ тишина.

Через два часа написала еще. Тишина.

Тогда я позвонила ему. Ответила жена. Я не смогла позвать его к телефону... Уши... чужие уши... Муж работает в соседнем кабинете, а рядом со мной еще две женщины... в курсе, чья я жена...

На следующий день выбрала момент, когда никого не было рядом и позвонила ему на работу. Говорят: «Такой больше не работает». Спрашиваю: «Почему? Уволился?» Ответ: «Да, уволился. Из жизни уволился. Умер». В шоке кладу трубку. Первая мысль: «Вот все и кончилось, слава Богу...» Следующая: «Это же из-за меня. Он умер из-за меня».

Первый день провела в прострации. На следующий день пошли слезы. Все напоминало о нем, о моем Олешеке... Рабочее место — только о нашей переписке... Не могу работать, глаза утыкаю в клавиатуру, нельзя плакать, никому не объяснишь... Только ночью... в подушку... стараясь не разбудить мужа...

(Долгая пауза.)

Через три дня собралась с духом и решила выснить причину смерти. Надеялась, может, его смерть не со мной связана... Мне сказали, что он утонул, его хоронили в тот день, когда я приехала на море.

Первая мысль: «Купался? Случайность? Или утопился специально?!»

Наконец, позвонила единственному человеку, с которым он меня познакомил, и все точно узнала. В тот вечер он, как и говорил, встретил жену с поезда, тут же поругался с ней, в первый раз в жизни ударил и ушел из дома. В гараже оставил записку... (Пауза.)

— Какую?

— Прощальную. «В моей смерти прошу не винить... никого... Простите... Прощайте...» (Слезы.)

...Утопился в реке за городом... Искали несколько дней, пока я держала выключенным телефон. Может, он и звонил перед концом... а телефон мой молчал...

— Какие сейчас у вас мысли?

— *Я виновата, я виновата в его смерти... В том, что двое детей остались без отца. Я могла ему помочь... Я была единственным человеком, который мог ему помочь. И я его предала. И мне теперь жить с этим грузом всю оставшуюся жизнь...*

Как мне жить дальше?.. Помогите мне, доктор. Подскажите выход...

— Выход ИЗ ЧЕГО вы ищете? И выход ВО ЧТО?

— *Ну... из этой невыносимой боли, тяжести на душе... У меня страшная депрессия... Была у него, у Олега, теперь у меня... Страшная депрессия... Просто не знаю как жить...*

— Наталья, депрессия — состояние емкое. И удобное в том числе и для самозащиты от внутренней ответственности. Вы ведь понимаете, что ваше чувство вины имеет реальные основания. И терзания совести, если они есть...

Я вижу, как вам больно и страшно. Но я только доктор и не уполномочен отпускать грехи. Нельзя обезболить совесть. Нельзя...

— *Но я не могла предположить... Не могла предвидеть, что он так поступит. Хотя он и говорил о веревке, я не могла допустить... не могла поверить, что это всерьез...Я же не психолог, не психиатр...*

— Вам хочется хоть каких-нибудь самооправданий, смягчающих доводов. Они, разумеется, есть. Конечно, вы не психолог, тем паче не психиатр. У Олега был кризис личности, глубокий душевный кризис, который вы почувствовали, но не могли понять. Кризис этот начался задолго до вашей встречи, возможно, еще с детства... Завяз в жизни, заплутался в себе, искал выход... Вы действительно не могли стать для Олега тем, чего он от вас так отчаянно добивался: психотерапевтом под видом любовницы. Напротив, в силу неравнозначимости, неравномасштабности ваших отношений и чувств друг к другу могли стать только источником психотравмы — и стали, стали спусковым крючком для накопившегося заряда самоуничтожения. Смертоносный внутренний груз он нес в себе сам, и конечно же вы не хотели, чтобы...

— *Я не хотела! Нет! Нет... Я не хотела...*

— Наталья, но будем честны перед собой, ладно? Это сейчас очень важно... Самая первая ваша мысль, когда вы узнали о смерти Олега...

— *Да, первая мысль была: «Слава богу...» Да, я почти... Нет, что говорю... Но облегчение почувствовала в первый миг, это да. Я сволочь, наверно. Наверное, не любила его. Или не так любила...*

— Он ведь еще и по-детски, и по-самцовски, по-собственнически ревновал вас к вашему мужу.

— *Да... И перед мужем я виновата.Изменила ему. Врала, обманывала. И сейчас не могу рассказать, что было. Что делать? Продолжать скрывать, лгать, жить в обмане дальше, всю жизнь?*

— Необязательно.

— *А что же? Я что, должна все ему рассказать, да? Ведь он же...*

— Наталья, скрывать то, что уже произошло, и продолжать лгать — не одно и то же. Можно таиться, молчать, но при этом больше не лгать. Мужа вашего, и особенно ребенка — вы не забыли о Машеньке? — вы все в семье суть сообщающиеся сосуды — следует по возможности уберечь от узнавания всех этих тяжких событий. Только в случае, если муж сам прознает что-то и приступит с расспросом, тогда будет лучше объясниться начистоту и принять последствия...

То, что произошло, сейчас — уже прошлое, ВАШЕ прошлое, и вы можете и должны с ним управиться сами: извлечь урок и жить дальше.

А виновны вы, думается мне, прежде и более всего перед самою собой. Перед своею душой. Погрузили ее в раздвоенность, в ложь...

— *Да, черт попутал полезть в Интернет измену искать... Но с мужем я не получала того, без чего не могла, и бесполезно было пытаться... Он давящий, авторитарный. Я боялась его и сейчас боюсь...*

У меня часто такое чувство было, что я не своей жизнью живу, что муж мне душевно чужой человек. Телом, домом, жизнью близкий, родной, а душой чужой, недоступный. Олешек наоборот: жизнь чужая, зато душа родная, половинка моя...

— От этой родной половинки вы озаботились прежде всего забронироваться стеной равнодушия.

— *Не было равнодушия! Не было стены!*

— Но ДЛЯ НЕГО – была!.. Вы ПОКАЗАЛИ ему ее, как быку красное... И он начал об нее головой биться. И голова с давней бомбой внутри не выдержала...

— *Я боялась, боялась мужа. И за ребенка... Боялась сломать судьбу. Жизнь разрушить, целую жизнь... Олег повел себя вдруг как танк, я не ожидала...*

— Да, у него произошел резкий психический слом с прорывом агрессивного эгоизма. Все его давнее, все болящее детское одиночество с отчаянным воплем хлынуло из подспуда наружу... К вам...

— *Я не могла подумать, что в нем такая бездна... Это болезнь, да?.. Почти все время нашего общения, почти до самого конца он предпочитал говорить о моих проблемах, а не о своих. Это он первый взял на себя роль моего психолога, как бы гуру. И астрологией своей пользовался, чтобы мне помогать. А себе самому...*

Никакие его астрологические таблицы не предсказали такое... даже намеком...

— Думаю, вначале он искренне пытался уйти от собственных жизненных задач, от себя — через «решение» ваших проблем. Коварный самообман многих тайных узников внутреннего одиночества. И астрологов, и психологов в том числе...

— *А как я должна была бы поступить в отношениях с мужем, если бы не пошла на сторону через Интернет?*

— Наталья, у вас был обычный выбор честного человека — открытая борьба с двумя возможными исходами: достойное поражение или победа.

Дорога к победе: несмотря на все трудности и препятствия, искать и находить пути к диалогу с мужем. К взаимопониманию, к обновлению, к новой красоте отношений... Уверен, если бы вы потрудились кое-что узнать и понять, если бы решились превозмочь свои страхи, вы могли бы побудить и научить своего мужа быть с вами и нежнее, и ласковее, понимать и чувствовать вас глубже и тоньше.

Достойное поражение: уйти, просто уйти. Без измены — честно расстаться, размежевать жизни.

А уж потом, в моральной свободе от прежних отношений, заводить новые знакомства и помышлять о новых союзах... Трудное решение, но единственно верное, если жизнь вместе невыносима и надежды на изменения к лучшему нет.

У вас и сейчас есть такой выбор, Наталья.

— *Я уже выбрала...*

Вновь одиночество ночное
остановилось у кровати,
и сердце с мир величиною
не знает как себя истратить
и рвется, разум отрицая,
гулять с голодными ветрами,
и тусклая звезда мерцает
как волчий глаз в оконной раме...

Погибнуть упоительно легко.
Ты рядом спишь. Ты страшно далеко.
Не встретиться. Тоска неутолима.
Ты рядом спишь... А жизни наши мимо
друг друга мчатся, мчатся в никогда,
как дальние ночные поезда...

Я призываю в душу благодарность
за нашу неразгаданную парность,
за то, что можно прямо здесь, сейчас
тебя обнять, не открывая глаз,
чтобы не видеть мрака преисподней...

За необъятность милости господней,
за свет звезды, за свой бессонный дар,
за то что демон затаил удар...

Душа, не умирай.
Душа, питайся болью.
Не убивай себя, насытиться спеша.
Надежда предает —
гони её любовью,
безумием спасай себя, душа.

Над свечкой поколдуй. Притихни у причала,
понюхай ветерок — он йодист, он соснов...
Как любит жизнь себя! Как жаждет все с начала,
с начала начинать, с предвечных снов...

Вот в этом смысл:
в прыжке,
в парении над бездной,
во взлете вверх — в броске
в неведомую даль...
Не погибай, душа! Останься бесполезной,
лети, лети к мирам,
где прошлого не жаль...

ГОЛОВОКРУШЕНИЕ ИЛИ БЕС В РЕБРО

7

А что, если наша Земля —
ад какой-то другой планеты?

Олдос Хаксли

❦

**Как забыть падлу? Найти стерву похлеще?..
Антипадлин как осознанная необходимость
Эта новая старая любовь...
Возвращение мужа методом айкидо
Влюблен, женат и шансов нет...
За что уцепиться на краю бездны?
Счастье заблудилось...
Седина в волосы, Интернет в ребро.**

Пару дней назад моя шестилетняя дочка Маша нечаянно выдала потрясающий термин.

— Что такое головокруШение? — спросила она. — Это когда голова круШится, да?

Ну да, именно. Едет, едет по рельсам своим голова, нагруженный такой пассажирско-товарный поезд.

И вдруг...

Как забыть падлу?.. Найти стерву похлеще?..

В.Л., мне 43 года. Есть жена, исключительно положительный человек. Есть дочь. Все хорошо. Мимолетные связи уже много лет подряд, и это бы ничего, даже на пользу миру в семье. А тут вдруг подсел..

По интернету познакомился с разведенной С. Разница между нами в 13 лет. Сразу заметил и разницу в интеллекте и образовании не в ее пользу.

Я по образованию гуманитарий, успешно работаю в бизнесе; она — торгашка. Дитя природы, приехала из сельской местности, быстро и жестко адаптировалась, хватка железная, идет по трупам. Сейчас возглавляет крупное торговое подразделение..

То, что у С. провокационный тип поведения, я понял сразу. (Сама рассказала, что причиной ее развода была ревность мужа.) Сложена соблазнительно.

Безумно любит вечеринки, наряды, пьет, в компаниях бывало и так, что пару раз приходилось тащить..

На свою 8-летнюю дочку постоянно орет, грубо одергивает, с трудом запретил орать на нее при мне..

Секс на уровне сумасшествия, чего с женой не было никогда, темперамент другой. Этой нужно всегда и везде: у плиты, у окна, в ванне, даже в туалете. Инициатива всегда ее, неукротимое животное. (Да и врач посоветовал ей «почаще» в связи с женской болезнью..)

Жена старше, уступает С. в сексуальности, зато эстетичнее, интеллект неизмеримо выше, чем у нее, да и чем у меня. (Я, защищаясь от умственного превосходства жены, пытаюсь иронизировать, но всегда в наших отношениях остаюсь ведомым..)

Вот как произошло мое «западение» на С. На вечеринке, разогретый спиртным, я полуприкольно рекламировал ее сексуальные стати перед своим приятелем Николаем, большим «ходоком». И дорекламировался, перестарался. Тот, тоже под баллом, бух на колени перед ней — «Подарите мне ваши милости, в долгу не останусь!» Смотрю, а она и всерьез не против. Садится в его машину — им, оказывается, по дороге — делают мне ручкой и уезжают. Я остаюсь стоять, как идиот. Чувствую, сейчас наломаю дров.. И наломал.

Еду к ней выяснять.. Встречает меня на пороге. «Николай у тебя?» — «Нет. Домой поехал.» — «Что, в машине успели потрахаться?» — «А если б и так, тебе-то что? Я свободная женщина. Отваливай, пьянь, отсюда». — «Это ты пьянь и блядь». — «Чё-ё-ё? Это всякий козел меня оскорблять будет в моем доме?» — хрясь меня по морде. Никогда меня женщина не била.. Я в ответ отшвырнул ее так, что она пролетела через комнату и головой

158

стукнулась об пол. Лежит. Я похолодел. Вдруг вскочила, яростно вытолкала меня и захлопнула дверь..

Сразу же после этого у меня появилось страшное чувство вины: готов был грызть землю, только чтобы простила.. Вина резко перешла в сильнейшую любовь. Причем люблю ее только пока не вижу, а после встреч отплевываюсь.. Она не против встречаться, но теперь держит на длинном поводке. «Близости больше не будет. Хочешь, приезжай за мной, отвози..»

Близость была: вскоре уговорил поехать на 3 дня в дом отдыха с друзьями. Жила со мной эти дни и трахалась как ни в чем не бывало. А потом опять как чужая.

Я решаюсь порвать, молчу недели две — она тут как тут, звонит, достает: «соскучилась». Голосок, полный нежного томления. Пообщаюсь — хоть святых выноси..

Еще три-пять дней проходит — и уже я без нее не могу, ломает, места не нахожу, руку дам отсечь за взгляд, прикосновение, поцелуй, а уж постель.. Даже и без постели, лишь бы подышать одним воздухом и дотронуться.. И ведь знаю: лажает, падла, аппетит утробный неутолимый, трахается с кем хочет и все ей нипочем. (У Венички Ерофеева помните? — Сучья белизна в зрачках у любимой блядищи, вот и у этой так..)

Вскоре после той поездки в дом отдыха я предпринял литературно-психологический эксперимент: написал С. по емеле два разных письма от имени двух вымышленных персонажей, своих ипостасей.

Один — банковский работник, ловелас-трахальщик. Другой — бизнесмен, разведен, с характером мягким, но тоже с деньгами.

Она не раскусила мистификации и охотно вступила в переписку с обоими, причем с каждым была разной, в соответствии с его характером и предложенными правилами игры. С «банкиром» вела разнузданные разговорчики на уровне порнографии, цветисто соглашалась на предложения переспать. С «бизнесменом» была сдержанной, уравновешенной, мудрой дамой материнского типа.

Случалось, утром я-настоящий просил ее о встрече вечером — ровно в то самое время, когда назначал встречу мой виртуальный «банкир» — и она всегда мне отказывала, ссылаясь на занятость именно в это время. А в другое? В другое можно.. «Банкир», конечно, свидания в предпоследний миг отменял — форсмажорные обстоятельства, извинения. Она огорчалась, злилась, заводилась пуще, старалась завести и «банкира», просто-таки виртуально трахалась и тащила в койку, дала все свои телефоны — «хотя бы увидимся»..

Я надеялся, что таким способом — доведением ее сучьей сути до полного изобличения и абсурда — я себя от нее излечу. Ни фига подобного, наоборот, совершенно на ней свихнулся. Дошло до того, что начал писать стихи и рассказы, в основном эротические — для нее и о ней. Рассказы вроде бы интересные, печатаются и переводятся. Иногда и С. делает вид, что это ей интересно, иногда откровенно издевается.

160

Да, все ясно: я на крючке примитивной, но артистичной стервы, у меня явные признаки мазохизма. Пытался встречаться с другими женщинами — интересными, умными, образованными, порядочными — ни черта не клеится; все кажутся пресными до зевоты. С. не выходит из головы. В какой-то миг совсем крыша съехала, готов был даже жениться на ней..

Хочу забыть падлу, а как — не знаю. Наверное, дома у меня слишком хорошо, а сам я старый придурок: седина в голову — бес в ребро. Если так пойдет дальше, плохо кончится: чувствую атрофию совести, теряю страх смерти, уже не боюсь разбиться на машине..

Что это и как с этим совладать? Отвлечься работой? Уехать за границу? Найти стерву еще похлеще?

Единственный мой эмоциональный ресурс сейчас — дочка, я в ней души не чаю. Если бы не она, кренделей было бы больше.. Заякорился незнамо на чем. Хоть секс тут и первостатеен, крючок где-то глубже.. *Виктор*

ВЛ — Сегодня мои коллеги по разным причинам отсутствуют, поэтому консилиум веду в единственном числе... Писем о головокруШениях, подобных этому, я получаю каждый день по нескольку штук.

Подробности разные, схема одна: чем глубже падла нас достанет, тем крепче вяжемся мы с ней, и кто больнее душу ранит, к тому и тянет, тянет, тянет адреналином гнать коней...

Падла, добавим мы, и в Африке падла — как женского, так и мужского рода: хотя женщины на мужчин жалуются чаще, счет равный: ноль-ноль...

А что касается крючка, на который нас сажают мерзавцы и стервы, то он действительно глубже, чем просто секс, глубже, чем мазохизм, ревность или какие-нибудь сосунковые фрейдокомплексы. И пресловутый адреналин здесь лишь химическая деталька всеобщего могучего механизма, восходящего к архетипу пещерного гипнотического доминирования, когда одна тварь, более уверенная в своем праве на жизнь, обращала в рабство другую, менее уверенную, и так продолжается повсеместно. А уж отсюда, из этого животного магнетизма, проистекает и сексуальная власть, и всякая иная.

Сущность рабской психики — двойственность, расколотость побуждений: в рабстве больно и тошно, хочется на свободу, а на свободе страшно и скучно, хочется в рабство. Тем паче, когда и о свободе-то представления нет, и практически речь идет о выборе между клеткой, где есть дают и не бьют, и клеткой, где бьют и то дают, то не дают...

Антипадлин как осознанная необходимость
из ответа Виктору

Уже полдела сделано, Виктор: положение осознано и задача поставлена. Только я бы ее сформулировал не как «забыть падлу», а

вспомнить себя — Опомнить-сЯ...

То, что вас в такой патовой (скорее, уже матовой) ситуации прорвало творчеством (не столь важно, какого качества) — знак: душа ищет спасения, хочет выжечь проказу рабства и выстроиться по-новому.

Привязанность к падле, как вы уже понимаете, — воронка вниз, в преисподнюю — вид наркозависимости. И в точности как расставание с наркотиком требует железных решений и неукоснительного исполнения, исключающего самообман.

«Делать ноги», и как можно быстрей. Нереально «забыть», «выкинуть из головы». Нет — но реально создать условия, при которых голова будет наполняться другим, а падла в ней будет тесниться, терять пространство и постепенно скукоживаться. Проникнуться решимостью перестрадать, пройти через ломку любой степени. Не грех и облегчить эту ломку, но только не алкоголем, а таким, например, элегантным препаратиком, как Антипадлин (имярек противоломочного препарата, индивидуальное предложение соответственно психотипу адресата).

В борьбе со смертельным врагом (не падла, конечно, враг, а зависимость от нее) хороши все средства: и физические перегрузки, и умственные, и путешествия, и рискованные предприятия, и экстремальный спорт, и болезнь (я и поныне благодарю Богом посланный мне тяжкий грипп с воспалением легких, позволивший сделать первый отчаянный прыжок из табачной тюрьмы, грозившей уже стать могилой...).

Но всего лучше перестрадать вголяка, вчистую, безо всяких костылей и поддержек, единым духом — перебороть отраву, перетерпеть жажду, преодолеть пустыню — выжить и возродиться.

Помочь могут и молитвы, и хорошее чтение, и творчество, только разомкните его с падлы на что-нибудь поинтереснее!

Эта новая старая любовь...

В. Л., мне 47 лет, у меня есть сын, которого я люблю, есть две очень близкие подруги.. И есть, то есть был — ОН, первый мой муж. 22 года назад расстались. Сразу вышла снова замуж, появился ребенок. Но ЕГО помнила все эти годы, видела во сне, боль ушла только через 20 лет..

И вот решила узнать, как ОН поживает. Нашла ЕГО. Встретились. Женат уже третьим браком, есть дочь и сын. Не ожидала, что обрадуется нашей встрече. Оказалось, что я ЕМУ тоже опять нужна. Была на седьмом небе от этого. Вот оно — Счастье!

В течение года мы встречались. Я ездила к НЕМУ на выходные, была ЕГО любовницей. Какими бурными, какими сладкими были наши свидания, описать невозможно. У меня дома все знали, были скандалы. Но сама я ни за что не отказалась бы от НЕГО.

От меня отказался ОН, снова отказался.. Опять все напрасно, все.. И дома, с нынешним мужем, разрушено все дотла.

Я сбилась с пути. Сломалось что-то внутри. Как теперь жить? Надежда

ГИД — Воистину, пути любовные неисповедимы. Расстаться, встретиться через 20 лет совсем иной жизни, снова влюбиться, снова расстаться...

ТЮС — Хотела бы я понять, что же сподвигло эту зрелую женщину проведать свою давнюю недососто-явшуюся любовь, то далекое прошлое, которое стало другим настоящим, но, видно, не совсем другим... То, что в своей жизни она себя так и не нашла?

АРТ — Такие случаи, учитывая еще и критический женский возраст, чреваты тяжелыми депрессиями с самовольным уходом из жизни.

ДС — Возвращение к оставленной любви — предприятие крайне рискованное, как, впрочем, и всякое возвращение куда-либо после отсутствия, почти равного небытию. Но когда совершается этот кругооборот, возникает вопрос: чего же хочет Судьба, на чем так настаивает, какую задачу требует разрешить?

ВЛ — Мне известны и другие истории в этом роде. В одной из них финал вышел более оптимистичным: быстро разведшиеся когда-то в молодости супруги встретились снова после 33-летней разлуки, оба бросили свои семьи с детьми, снова поженились, вдвоем счастливыми вошли в старость...

ТЮС — И умерли в один день?

ВЛ — Почти. В один месяц.

АРТ — Случай Надежды, скорее, напоминает грабли, оставленные в заброшенном саду очень надолго и снова стукнувшие по тому же самому лбу.

ГИД — Но ведь сладко стукнувшие. А теперь платежка пришла, что же поделаешь.

ТЮС — Другая-то сторона от платежки благополучненько отвертелась. Для НЕГО эта история оказалась, скорей, любопытной экскурсией в музей личных древностей: поглядели и хватит...

ВЛ — Надежда, слов утешения нет, а жить дальше для кого и для чего — есть. Чтобы любить — и сына любить, и ЕГО... Любовь, даже дважды принятая и отвергнутая, не бывает напрасной.

Возвращение мужа методом айкидо

В.Л., у меня случилось крушение в жизни. Муж встретил женщину на 10 лет младше меня, с которой ездит в санатории, ходит в рестораны и бары. А у нас двое детей.

Узнала случайно. Пыталась поговорить с этой женщиной. Думала: если она умная и душой красивая, значит, бояться нечего, может быть, когда муж создаст другую семью, он будет счастлив и не забудет детей.

Но она оказалась жесткой, холодной, циничной. «Меня в этой ситуации все устраивает. Отдавать место под солнцем не собираюсь. Муж тебе изменяет всю жизнь, чё ты дергаешься, вам давно пора было разойтись.. Да не собираюсь я за него замуж, не беспокойся, слабак он у тебя.. Вы что, уже насовсем разругались?»

Поняла: «опускает» меня и лжет, что «замуж не собирается». Ждет развода нашего и подталкивает события. Захватчица, разрушительница. И решила я воевать, биться за счастье свое, детей, а может быть, и его.. НО КАК???

Мне очень хочется, чтобы мой муж был счастлив. Он прекрасный человек, а сейчас весь в этой суке, одержим ею, как наркоман, и мне кажется, если я его не отпущу к ней, буду давить на долг, то этим рискую убить. Но когда пытаюсь отпустить, чувствую, что убиваю себя и наших детей..

Если у Вас есть случаи похожие или просто есть что сказать, поделитесь.. *Татьяна*

ВЛ — Таня, случаев похожих — немеренное множество, нескончаемая вереница. Но в том сложность. что в каждом есть и своя особость, которая может сыграть решающую роль, ибо истина в оттенке...

Послушаем, что скажут коллеги.

АРТ — Таня, ты правильно чувствуешь, что «давить на долг», на совесть мужа или на жалость — большая глупость, будет только обратное желаемому, только хуже. И правильно чувствуешь, что просто пассивно «отпускать», положившись на произвол психостихий, — тоже глупость, глупость безволия — потому что резервы здравомыслия и здравочувствия твоего мужа явно исчерпаны, а с другой стороны, действует активная и недобрая притягивающая сила. Но ведь и «давить», и «отпускать» можно по-разному, и лучше, когда в руках две вожжи, а не одна...

ТЮС — Моя подруга Лариса, тоже с двумя детьми, когда у нее случилось такое же, сперва совсем было уж собралась изуродовать стерву-разлучницу уксусной кислотой, все приготовила, подкараулила... И в самый последний миг вдруг передумала.

Пошла в парикмахерскую, прихорошилась, к вечеру купила цветов, вина, приготовила роскошный стол, оделась как в театр, уложила детей спать, глотнула пару таблеток феназепама, заказала такси на пять утра, собрала шмотки мужа и стала его ждать.

Явился далеко за полночь, как всегда, от той... «Милый, сегодня у нас прощальный ужин. Объяснений никаких больше не нужно. Ты уже совершил свой выбор, теперь его совершаю я».

«Что такое, какой выбор?» — «Развод. Ты здесь больше не живешь. Юридические вопросы решим обычным порядком. Материальных или других претензий к тебе у меня нет. Отцом наших ребят останешься насколько захочешь... Садись за стол. У нас два с половиной часа времени, потом поедешь, я уже все твое собрала. Такси вызвала.» — «Куда я поеду?» — «Туда, где тебе лучше. Где тебе хорошо.» — «Мне некуда ехать.» — «Милый, это твои личные трудности. Мы с тобой больше не муж и жена, мы свободные люди. У тебя женщина, тебе с ней хорошо, я за тебя рада и желаю тебе счастья. Прошу тебя попрощаться со мной и оставить нас. Живи, как тебе по душе. А я буду жить, как мне по душе...»

«Постой, давай поговорим. У тебя что, кто-то уже появился?» — «Садись, садись... Поужинаем напоследок». — «Да наужинался я!.. Ты скажи, у тебя мужик есть, да? Замену нашла?» — «Мужика у меня нет. А мужчина есть». — «Кто он ? Я знаю его?» — «Да... Верней, нет... По-настоящему ты о нем еще ничего не знаешь... И я тебе о нем пока ничего говорить не буду. Время придет — узнаешь».

В этот самый миг, рассказывала Лариса, я вдруг просекла, что мне на выручку ненароком явился незримый мощный союзник и находится он в голове моего мужа: подозреваемый соперник, воображаемый заменщик в оставляемом семейном гнезде, виртуальный мужик! А то, что под «мужчиной» я имела в виду его самого, он догадаться, конечно, никак не мог...

И тогда, говорит Лариса, я вошла в игровой азарт, приказала себе все оставшееся до утра время болтать о чем угодно, только не упрекать, не жаловаться, не лить слез и ни о чем не просить, а сверх того вставлять в разговор одобрительные намеки относительно его нового выбора и свои добрые пожелания.

В пять утра муж не уехал. Бухнулся на колени, начал умолять простить, начать все сначала. «Я бы рада была... Если бы раньше...» — «Я что, уже опоздал?» — «Кажется, да... С нашего начала уже не получится. Может быть, с другого начала». — «Кто он, кто?! Я ему пасть порву. Я его убью». — « Не надо. Не спрашивай. Скоро сам узнаешь». — «Брось его, слышишь, пока не поздно. А я тебе клянусь: С НЕЙ завязываю». — «Зачем?.. Живите. Классная женщина, ничего плохого о ней сказать не могу. Вы с ней во всех отношениях подходящая пара. Начни и ты наконец полноценную новую жизнь...»

ГИД — Короче: остался?

ТЮС — Остался и больше не рыпается. Но только через полгода после настойчивого выпихивания к «классной женщине», отказа в постели (а он настаивал, чтобы «отобрать свое», «пометить территорию») и таинственного витания неуловимого заменщика, реальность которого пришлось подкрепить несложными мистификациями, как-то: телефонные звонки, электронные письма, записочки, букеты цветов, «присланные в подарок», машина у подъезда, билеты в театры... Я этому тоже помогла: одолжила денег, попросила одного своего приятеля, актера, подыграть некоторые моменты...

ДС — Татьяна, рассказанное не рецепт, а всего лишь наглядный случай, показывающий одну из возможностей действия в твоем положении. Стратегия строилась от противного, по принципу айкидо: уходит — подталкивай, приходит — отталкивай, но и то и другое не резко, а по возможности нежно, легко...

ВЛ — И весело, что труднее всего, и с немалым риском, и без гарантий...

*В*люблен, женат и шансов нет...

В.Л., мне 50 лет, раньше занимался наукой, сейчас клерк в одной из фирм. Очень трудно было устроиться на эту работу, долго мотался по шабашкам, фирмам, был и охранником, и строителем..

У меня семья, любящая жена, почти взрослый сын. И вот угораздило на работе влюбиться в женщину, которая:

— младше меня на 20 лет;

— выше меня на несколько сантиметров;

— имеет ребенка;

— обеспечена — ездит на машине;

— муж — цветущий, богатый, крутой мужик, шкаф по размерам..

Другими словами, шансов у меня практически никаких, шансов нет! А слово «влюбиться» мое состояние не передает и на тысячную долю: это такая страсть, такое потрясение, какого у меня не было никогда.

Она сидит на работе недалеко, постоянно вижу ее, переставить стол не могу, помещение небольшое, да и руководство не одобрит.

Хожу по психотерапевтам, одни пытаются гипнотизировать, другие прописывают сонапакс и тому подобную дрянь.

Спорт (лыжи, пробежки) помогал только в течение месяца. Сердце очень болит. Из-за любви. Из-за безумного желания обладать ею.

Не хочется бросать работу, где меня ценят. Что делать, как быть? У вас я прочел, что время «выздоровления от любовной болезни» 1 — 1,5 года, но в силу моего возраста я такого срока не вынесу. *Николай*

170

ГИД — Воистину «седина в голову, бес в ребро»...

АРТ — Николай, а я бы на вашем месте возрадовалась, что в зрелом возрасте сохранила юношескую способность влюбляться.

Разве любовь — это отделение желудочного сока на лакомое блюдо?

Неужели нельзя найти ей другое направление, другой смысл и цель, кроме «обладания»?

ДС — Николай, причина ваших страданий вовсе не безнадежная любовь, от которой не застрахован и Господь Бог, а душевная узость .«Я вас любил безмолвно, безнадежно, То робостью, то ревностью томим; Я вас любил так искренно, так нежно, Как дай вам Бог любимой быть другим...» Вот ваша универсальная лечебная формула!

ТЮС — Представьте себе, что ежедневно на работе вы имеете возможность смотреть киносериал с прекрасной героиней, в которую имеете полное право быть страстно влюбленным, быть ее поклонником — и даже — почему бы и нет? — дарить иногда цветы и получать в ответ дежурные улыбки...

ВЛ — Таня, вы, наверно, хотите сказать, что ежели смысл цветка усматривать не в возможности сорвать его для личного использования, а в возможности созерцать, то полегчает и без сонапаксов?..

171

За что уцепиться на краю бездны?

Бросила Верного Любящего ради мерзавца сексоманьяка.
Верный Любящий помогает родить ребенка от мерзавца...

В.Л., не могу понять, как оказалась в таком страшном тупике, в бездне..

Мне 34 года. Была замужем, растила сына, работала. Любовь кончилась — развелась по своей инициативе, остались с бывшим мужем друзьями. У него все хорошо, а я вышла замуж за своего одноклассника, очень хорошего человека, любившего меня непрерывно и преданно еще со школьной скамьи..

Но с моей стороны было только принятие этой огромной любви, а не собственная любовь. Начались ломки, измены. Наконец, ушла и от него, с чувством вины. Он ни словом меня не упрекнул.

А потом встретила человека, в которого влюбилась без оглядки. Впервые в жизни мне захотелось свить свое гнездо, и ничто меня не испугало, не остановило: ни то, что он бросил жену и двоих детей, ни то, что любит выпить и употребляет наркотики, ни то, что, еще живя с женой, развлекался с ее подругами и даже сестрами.. Для всего подыскала оправдание.

Я заботилась, чтобы он чаще видел своих детей, выводила из запоев, не обременяла заботами, все делала сама с радостью, как на крыльях летала. Секс у нас был просто изумительный. Каким счастьем было видеть его сумасшедшие от желанья глаза, стонать и терять сознание, отдаваясь..

172

И вот год назад он впервые сказал, что у него есть огромное желание заняться сексом втроем — со мной и еще одной женщиной, что для него это очень важно, и если я его люблю, то должна согласиться..

Я решилась и этот кошмар пережила. Знала, что это не мое, но не думала, что будет настолько дико, ужасно.. Все стерпела. А восемь месяцев назад забеременела. Умоляла его, чтобы согласился оставить ребеночка, ведь он от любимого человека. После рождения первого сына думала, что никогда уже не будет детей, а тут такое счастье..

О ребенке он и слышать не захотел. Повез в больницу на аборт. Но произошло чудо: возле самой больницы вдруг развернул машину, сказал каким-то невнятным голосом, будто спросонья, что не знает почему, но не может меня туда пустить и отвез домой. От благодарности и любви чуть с ума не сошла..

А потом начался настоящий ад.. Уходил из дома по ночам, бил меня, унижал, открыто при мне спал с другими женщинами, невменяемо пил, издевался. А я, как во сне, все твердила, что люблю его, что стерплю все, только чтобы он был со мной..

Без него я просто умирала, а когда он был рядом, задыхалась в его присутствии, дрожала крупной дрожью от каждого звонка на его мобильник — женщины звонят беспрерывно, он с ними разговаривает нагло и непристойно. Когда слышала его голос или видела его, казалось, что мир занавешивается багровой пеленой, ощущала физическую боль, такую же, как и моральную..

Сейчас он просто бросил меня и уехал, оставив без жилья и без денег. Живу в квартире своего второго мужа, того самого одноклассника, который буквально подобрал меня на грани безумия, заботится обо мне, все знает и понимает. Говорит, что очень ждет нашего ребеночка. Он говорит: «нашего»!

Остался месяц до его рождения, а я продолжаю жить как в бреду. Звоню, вымаливаю встречи с любимым, умоляю пожалеть и принять меня на каких угодно условиях, унижаюсь, надеюсь, люблю, ненавижу, хочу отомстить, раскаиваюсь, не могу спать, во сне умоляю его не бросать меня..

Испытываю отвращение к мужу, который делает все, чтобы мне было хорошо. Чувствую, что подступает безумие. Боюсь, что случится непоправимое..

Может быть, я уже сошла с ума? Я когда-то слышала о раздвоении личности. Как одна «я» продолжает работать, общаться с друзьями и коллегами, улыбаться, готовить еду, а другая в то же самое время умирает от горя и летит вниз головой в пропасть?

Доктор, что делать? За что уцепиться на краю бездны, за какой корень или уступ? Или уже слишком поздно? *Элина*

ВЛ — Что, коллеги, взгрустнули?.. Это еще не самая тяжкая из историй любовного безумия, рассказанных нам. Далеко не самая...

АРТ — Похоже, здесь даже надежда есть на добрый исход: ангел-хранитель рядом.

ТЮС — Ребеночек явно поддерживается свыше вопреки всякой логике. Или сниже...

174

ДС — Даже и вопреки серьезной угрозе его будущему физическому и психическому здоровью.

ГИД — Элина, хватит эротических истерик. Ты отвечаешь за новую ни в чем не повинную жизнь, она уже в тебе и вот-вот появится. Нужно рожать, нужно кормить, воспитывать. И хороший отец, Настоящий отец для этого ребенка уже есть и готов ко всему. Элина, ну отцепись же от своего мерзавца-сексоманьяка, опомнись! Оставь, забудется...

ТЮС — Как же, забудется...

ВЛ — Элина, да — безумие есть, но не в смысле клиническом, а в смысле душевном. И душу необходимо очищать и лечить.

Молись, если можешь — молись за ребенка и за человека, который рядом с тобой.

А мы молимся за тебя...

*С*частье заблудилось...
Седина в волосы, Интернет в ребро.

В.Л., мне 46 лет, замужем уже 23 года. Две дочери студентки, девочки хорошие. Жаловаться грех. С каждым годом муж любит меня все больше, готов для меня сделать даже не знаю что. Если посмотреть объективно — я на редкость счастливый человек. И конечно, не с неба это все свалилось. Счастье — огромный труд каждого мгновения жизни, занимаешься ли приготовлением еды или выстраиваешь интимные отношения..

Но сейчас счастье мое то ли раздвоилось, то ли заблудилось, то ли готовится, как свечка, сгореть, умереть...

Всю жизнь я работала в мужских коллективах, и у меня не было романов, ни одного. Я, наверное, какое-то ископаемое: верная жена сейчас явление, мягко говоря, не типичное. Конечно, бывал легкий флирт, мужчины некоторые нравились и даже очень, но дальше не заходило.

А теперь просто не понимаю, что происходит. Может быть, кризис определенного возраста. Или... Или наконец НАСТОЯЩЕЕ...

По Интернету, по электронной почте я уже полгода переписываюсь с М., своим бывшим одноклассником, живущим сейчас далеко, в другом городе, даже другой стране бывшего СССР. Вышли друг на друга случайно, через общую знакомую.

Письмо за письмом, слово за слово — и вдруг оба почувствовали, что влюбились друг в друга. Безумно, без памяти.

«Объяснения» еще не было — просто каждая строчка с обеих сторон дышит любовью, и оба все понимаем. Обменялись фотографиями...

Учились мы вместе, но не дружили.

Только один случай был в десятом классе — конфликт между учениками с побоищем, в котором мы оба участвовали и были «по разные стороны баррикад», но в какой-то момент М. неожиданно пошел против своих и тем защитил двух более слабых противников, одним из которых была я; тогда я была покорена его смелостью и великодушием, но ему об этом ничего не сказала..

Человек широко образованный, имеет разные интересы и увлечения. Работает дома, за компьютером. Есть семья: жена и сын. Насколько благополучна семейная жизнь, трудно сказать, но, кажется, не очень.

И угораздило же меня! Не видела целую жизнь, вспоминала очень редко, думать не думала, и вот тебе: ни секунды покоя, все время думаю о нем..

С одной стороны, мне безумно хорошо, блаженно, сказочно, так прекрасно, что делать ничего не могу, просто столбняк какой-то. В жизни такого у меня не было: я человек активный, всегда много задумок и планов. А тут будто все силы куда-то ушли..

И — с другой стороны — страшно. Куда нас обоих несет и что будет? Иногда хочется напрямик признаться в чувствах и встретиться, а иногда кажется, что этого делать нельзя, смертельно опасно.

Я ведь УЖЕ вовсю обманываю ни о чем не подозревающего мужа.. *Тамара*

ТЮС — Как я понимаю, дама стоит перед выбором: встречаться или нет со своим виртуальным возлюбленным, но хочет опустить выборный бюллетень не своей разомлевшей от счастья ручкой, а мощной дланью авторитетного психолога.

ГИД — Еще бы, риск-то какой. Представьте: встречаются, влюбляются окончательно и бесповоротно, понимают, что друг без друга не могут — и уже другой выбор: ломать обоим судьбы и не только свои, или опять разлучиться и мучаться...

АРТ — Ну почему только это? Можно и не ломать судьбы, и не разлучаться, а продолжать роман с пускай очень редкими, но тем более упоительными тайными и рискованными свиданиями...

Вести обоим параллельные жизни — дома и вне, без любви и в любви, в отчаянном обмане и в горьком откровении страсти — разве это такая уж редкость?.. И разве не подарок под климактерический занавес — такая вот оголтелая пьянка чувств?..

ДС — А там будь что будет, да?.. И да здравствуют слезы жены, горе и презрение детей, инфаркт мужа...

Мы прошли мимо еще одной развилки возможностей: встретившись и спустившись с виртуальных беззапаховых небес на пахучую потную землю, они, говоря мягко, озадачат друг друга.

Даже если не разочаруют с первого или пятого раза — сшибка виртуальных образов с реальностью неминуемо произойдет, и как это бывает с двумя сталкивающимися кометами, несущими за собой длинные пылевые хвосты, после стыковой вспышки все превратится в сплошную туманность...

...а боль не сразу

сначала суета, сначала разум
найдет уловки, станет ворожить,
раскинет, что необходимо жить
по средствам, то бишь трезвой полумерой
стравив полунадежду с полуверой
террором пола вытравить любовь,
но разум попадет не в глаз, а в бровь,
поскольку пола вовсе не имеет
и лик судьбы впотьмах не лицезреет

а боль потом...

сначала сизый мрак,
в котором друг не друг и враг не враг,
а только птиц назойливых порханье,
короткое предсмертное дыханье
в наркозе ядовитых сигарет,
начало сна... сначала просто бред,
а боль потом...

не боль, а пустота,
бездонная, слепая... нет, не та,
что из пространства исторгает прану,
а та, последняя, что обжигает рану
улыбками,
 вращением колес,
  сиянием алмазных полуслез,
   крестами,
    гороскопами,
     стихами,
      отсутствием стекла
        в оконной раме...

§

Да, конечно, собака — образец верности.
Но почему она должна служить нам примером?
Ведь она верна человеку, а не другим собакам...

Карл Краус

❦

SOS: измена во время беременности...
Когда соперница проигрывает...
«Будь моей мамочкой бесплатно,
а я тебя за это укушу...»

SOS
измена во время беременности...

В.Л, мне 34 года, из них 14 лет живу вместе с любимым мужчиной, первым и единственным. Прошли много испытаний, растим дочку 9 лет, вместе работаем, много общих интересов. Он не только муж, но и Друг, которому все доверяю, и это было взаимно..

И вот на порог пришла БЕДА со стороны, с которой не ждешь.

В прошлом году мы решились на второго ребенка, через полгода он должен появиться на свет.. Об этом я сообщила мужу, когда он был далеко, на своей работе (он выходит в морские рейсы), и он был рад.

Я ждала его, жила мечтаниями и ожиданиями. Он вернулся — и.. Катастрофа.

Вечером он не лег спать со мной. Долго курил на лестничной клетке, пил водку, но не пьянел.. Чувствую, что-то наваливается — каменею, молчу.. Наконец, подходит ко мне и показывает фотокарточку женщины. Примерно моего возраста. Симпатичная.

— Кто это?

— Фаня.. Фаина. Я ее люблю. Я к ней ухожу. Прости меня, если можешь.

Реакцию свою не могу передать словами..

Встречаются уже восемь месяцев. Врач, разведена, воспитывает дочь.

..Первой моей мыслью, когда вернулась способность соображать, было: аборт, скорее аборт.. Чтобы дитя не стало средством удержания мужа. Чтобы не родилось в несчастье и боли.. Эта мысль прожила меньше суток.

181

Мы сумели поговорить попозже, еще дня через два, и решили вместе — ребенку быть. Он-то надеялся, что ребенок его и спасет, когда встретил эту свою Фаину..

Я попросила его остаться, подумать, решить, найти выход.. Он начал метаться, уверять, что мы дороги ему обе, что выбирать он не может..

И начался АД. Когда он со мной — мыслями там, когда с ней — думает обо мне, о нас.. Живет по нескольку дней то у нее, то у нас.

Мы долго обговаривали все произошедшее. Он сказал, что будет ждать, пока любовь его умрет, время, мол, лечит..

Его, может, и лечит. Но не меня.

Каждая минута жизни теперь — боль, только боль, боль.. Я привязана к нему сердцем, душой, могу долго ждать, но не могу заставить себя жить без него. Мирюсь с возвращениями и уходами, уважаю его чувства, боюсь боли, которую вижу в его глазах, жалею, а сама непрерывно хочу умереть и знаю, что не имею на это права.

Быть может, если бы он не метался, а ушел сразу, уверенно и окончательно, я смогла бы победить боль. Если бы не дочка и если бы не ждала еще ребенка (это будет сын, уже знаю) — отпустила бы его и НАШУ ЛЮБОВЬ..

У меня нет на него обиды. Вижу: он тоже мучается. Если бы позволили обстоятельства — уехали бы куда-нибудь вместе. А так — каждый день валерианку под язык и надевать маску жизни.. Живу только через силу или рядом с НИМ, совсем рядом..

ХОЧУ ЖИТЬ. ПОМОГИТЕ. *Татьяна*

ВЛ — Ситуация ясная. Татьяна — человек совершенно нормальный, здоровый психически; но душа ее сейчас тяжело ранена. На медицинском языке это именуется «острым реактивным состоянием».

ТЮС — Человеку хочется умереть, живет через силу — это и есть депрессия, да?

ВЛ — Нет, у Татьяны не депрессия — у нее нет подавленности, снижения активности, нет падения самооценки и неоправданного пессимизма. Есть только сильнейшая душевная боль. Я такие состояния назвал психалгиями (от «психэ» — душа и «алгиа» — боль).

Скорая психологическая помощь должна быть оказана незамедлительно.

ГИД — Татьяна, я не психолог, говорю просто как человек. Вот мои слова для твоего мужа: дубина, ты что же, не видишь, что делаешь?.. Нашел время для любовных соплей! Дочку забросил, верную жену обрюхатил, а сам крутишь романчик с какой-то там разведенкой, стервой! Да, уверенно говорю: со стервой. Будь она человеком с совестью, зная о ситуации, немедленно бы тебя прогнала к жене, а сама отмаливала свой грех. Она ведь еще и врач...

АРТ — ...и должна понимать, что делает с беременной женщиной и плодом такая страшная боль, от которой хочется умереть.

ТЮС — «Сука не схочет — кобель не вскочит». Всё они понимают, да не хотят понимать, эти распалившиеся суки и их заклещенные кобели. А словес пафосных для любовной демагогии всегда хватит: любовь дается, даруется, нас постигло, мы не хотели...

ГИД — Да, фиговых словес для срамного дела всегда отыщется. А есть шаг, который можно сделать или не сделать; черта, за которую заступить или не заступить. Есть развилки дорог: туда либо сюда — и выборы... Никакие дары ответственности не снимают.

ДС — Твоего великодушия и благородства, твоей любви, Татьяна, хватает и на то, чтобы сострадать мужу. Ему, конечно, не позавидуешь. Но мучения его душевной раздвоенности не идут ни в какое сравнение с силой и глубиной твоего страдания: он коптится на вертеле, а ты сгораешь в огне...

Посему: постарайся все-таки если не сейчас, то попозже определить грань, за которой твоя жертвенность по отношению к мужу должна уступить место трезвой твердости в отстаивании жизненных прав — твоих и детей. Это не тема для громких претензий; грань эта нужна внутри, понимаешь?..

ВЛ — Таня, рожай сына, расти дочку. Муж твой — если он только стоит тебя — будет с тобой и детьми, верь в это, просто верь — и живи.

Когда соперница проигрывает...

Когда я была на 8 месяце беременности, он, в мой день рождения, выпив, сказал мне, что у него есть другая...

В.Л., мне 33, с мужем Алексеем прожили почти 10 лет. Все было: и счастье, и ссоры. Но три года назад началось страшное..

Во время беременности вторым ребенком, когда я была уже на 8 месяце, Алексей, в мой день рождения, выпив, сказал мне, что у него есть другая. Для меня это был шок..

Алексей резко переменился. На нашего сына, 6-летнего Саньку, которого обожал, стал кидаться. Перестал общаться со своими родителями (они узнали и были на моей стороне).

Обвинял во всем меня, говорил, что я на него давлю и не удовлетворяю сексуально. Нес какую-то чушь о гадалках, сказавших ему, что мы не подходим друг другу. «Как ты 7 лет прожил с ней, она же вампир» — сказал ему обо мне какой-то сенс.

Начал читать литературу о программировании людей, диагностике кармы и прочая. Про родителей сказал, что они для него умерли. Был весь погружен в себя.

Мне не хотелось жить, тянуло разом покончить и с собой, и с будущим ребенком. Но я решила жить дальше, и будь что будет.

Работала почти до самых родов, не уходила в декрет — дома наедине с собой сошла бы с ума. Жила на одной валерьянке. Мама говорила: «Забирай сына и уходи». Но я решила бороться до конца и все сделать, чтобы сохранить семью и отца своим детям.

Родила дочку. Свекровь, которая с первым нашим ребенком не занималась лет до 5-ти, ездила теперь ко мне каждый день, помогала. Алексей ушел с работы, где была секретаршей его любовница (она моложе меня на II лет), и стал заниматься делом, о котором давно мечтал — делал лестницы в коттеджах. Дома почти не появлялся. С детьми занималась я, постоянно точа себя мыслью, что он с НЕЙ.

Его школьный друг и напарник по работе Иван позднее рассказал мне, что они с Алексеем однажды крепко выпили, и тот ему обо всем поведал. Иван тогда прямо ему сказал, что он поступает как сволочь.

Под новый год Алексей вернулся домой «поговорить». Долго непонятно было — о чем, мямлил какую—то невнятицу. Слово за слово, и я выясняю, что его барышня беременна, в феврале будет ребенок. Еще один «подарок»!

К этому времени на работе дела у него пошли худо, появились долги. Занимать деньги Алексей всегда просил меня..

Барышня родила. Он ночевал то у нее, то у меня. Я терпела, не спала по ночам. Решила: что угодно, только себя не жалеть и бороться. Зубы ходила удалять без обезболивания: больнее уже не могло быть..

В то время меня здорово поддержал Иван. Сказал мужу при мне: «Лёха, запоминай: уйдешь из семьи — мы не друзья больше, работать будешь один. Кончай кармическую херню и завязывай со своей б..ью». Алексей, услышав эти слова, побледнел. Разрыв с Иваном был равносилен потере работы.

Вскоре после этого разговора отвез барышню с ребенком к родителям в деревню и стал жить со мной. Потихоньку наладилась и постель. (Все время до того спал отдельно..)

Месяца через 3 она приехала и позвонила к нам домой. Подошла я, позвала Алексея, сама вышла в ванную.

Он поговорил и уехал к ней.

Потом Алексей рассказал Ивану, что она закатила ему истерику: «Одна воспитываю твоего ребенка! Ты меня предал! Подонок!»

Я позвонила ей и спокойно сказала: «Не звони больше в мой дом. Отстань от моего мужа». Она: «Да тебе осталась неделя с ним..» Я: «Посмотрим, кому чего сколько осталось.»

Прошло еще полгода. Алексей никуда не уходит, но общается с барышней по телефону, она осаждает сотовый (он у них один на двоих с Иваном). Под Новый год позвонила опять к нам и сказала мужу: «Либо ты в новый год со мной, либо вообще не приходи больше».

Иван, узнав об этом, со смехом дал такой комментарий: «Лёх, ты смотри, а, во стерва. Еще никто, а уже качает права».

Новый год мы праздновали дома с большой компанией друзей. Все праздники Алексей пробыл с детьми и со мной.

А она опять начала его осаждать по общему сотовому. Иван звонков десять ее отшил и сказал Алексею: «Лёха, деревенская твоя уже западло достала. Или пусть завязывает звонить, или оплачивай все звонки сам. И работай сам, а я подумаю..»

Подействовало опять. Сейчас Алексей живет со мной и все больше занимается детьми. Но все равно: все не так, как было, совсем не тот он, что раньше. Угрюм, замкнут, временами в какой-то прострации, словно ни здесь, ни там, не ушел, но и не пришел..

Я все это время пытаюсь измениться. Знаю: когда в семье что-то разлаживается, виноваты оба, каждый по-своему. Стараюсь отпускать мужа, не напрягать, быть спокойной, даже веселой. Конечно, не получается!

Ведь фактически это жизнь на вулкане..

Как жить дальше, не знаю. Удастся ли мне действительно сохранить семью, мужа и отца нашим прекрасным детям? — НЕ ЗНАЮ!

Как вы считаете, ,есть ли шансы? Как мне вести себя? *Вероника*

ТЮС — Если бы я была президентом, учредила бы орден мужества в борьбе за мужа и вручила бы первый номер тебе, Вероника.

ГИД — То, что муж сейчас как в воду опущенный, понятно вполне. Отяготился второй полусемьей. Живет с чувством вины и моральной несостоятельности.

АРТ — И просто так эту вторую полусемью уже не откинешь, не аннулируешь. Какими бы воинственными ни были твои чувства к явно проигрывающей сопернице, ты ее победишь вполне только своим великодушием, состраданием, победишь добром — победишь именно и только тогда, когда убедишь мужа, что готова ему помогать в создавшемся положении, в налаживании приемлемых отношений с матерью его нового ребенка, потом и с самим ребенком... Конечно, если только он захочет этого сам.

ДС — Это программа—максимум: неизвестно пока, как там все пойдет, куда вывернет, какую стратегию выберет дальше «барышня». Тебе очень помогли ее психологические ошибки, но не исключено, что она постарается их исправить...

ТЮС — С другом мужа здорово повезло и тебе, и ему: по существу, Иван спас вашу семью, и лучшего, что мог бы друг сделать для друга, пожалуй, и не представишь. А ты молодец, что сумела мобилизовать в решающий момент не только свои силы, но и силы ближайшего окружения. Муженек у тебя, видно, не шибко уверен в себе и очень внушаем...

ВЛ — Продумай суть отношений мужа и его матери: корни комплексов Алексея кроются именно здесь.

Все то трудное, отрицательное для него, в чем он может найти хотя бы подсознательный намек на сходство между тобой и его матерью, следует изменить на положительную противоположность!..

«*Будь моей мамочкой бесплатно, а я тебя за это укушу*»

...И опять начинается как банал: муж влюбляется в стерву, впадает в зависимость от нее, причем опять во время беременности жены. Мужья, вы что же, с катушек все посъезжали? Неужели родное существо в животе у жены действует как отворотное средство?..

Ульяна Д. пришла с ребятенком, шустрым полуторагодовалым сынком; пока беседовали, приходилось много раз отвлекаться...

Редкий нынче образчик статной русской красавицы с густой платиновой косой, правильными иконописными чертами. «А вы знаете о том, что красивы?» — спросил я в неофициальной части беседы. «Знаю, да толку... Муж мне сказал: «Твоя красота немодная и никому не нужна, а в постели и не видна ни фига. Картины с тебя писать никто не собирается...»

— Владимир Львович, я попала в затруднительную ситуацию... Прошу помощи: помогите разобраться, принять правильное решение. Хотя решение, собственно, уже принято...

— Значит, остается лишь разобраться в нем?

— Ну вроде. Верней, в себе...

(Внешне спокойна, сдержанна, нетороплива. Достает из сумки несколько фотографий.)

...Вот самая свежая: это муж мой Андрей со мной, сыном Дениской, ему тут год и три месяца, и дочкой Аленкой, ей почти пять... А мне 28, а ему 29... А ЕЙ 30.

— Вы, значит, моложе их, вместе взятых. Только кому же ЕЙ, какой невидимке?.

— Звать ее Имярек. Вот она. Вот, на работе у них, рядом с Андреем моим...

(Показывает снимок. Что-то вроде банкета в конторе, где в куче постных и пьяных физиономий заметна слегка помятая кошковатая шатенка с напряженной улыбочкой. Рядом Андрей — расплывчато-бесцветный, совершенно не запоминающийся: внешность стукача — определяли таких мы когда-то не так давно. И такая же точно напряженная улыбочка, будто одна на двоих.)

— Мы с Андреем поженились студентами. Встретились на дне рождения общего друга, продружили год, а после того, как мама застукала меня у него на коленях в расстегнутой кофточке, экстренно объявили о свадьбе... Первое разочарование на утро после свадьбы: оказалось, он замкнут, хмур, мне не рад, сутками отказывается разговаривать...

Потом ничего, приспособилась к этой тундре, в целом жили нормально. Андрей, я поняла это вскоре, никогда не чувствует себя уверенно среди людей, не верит в свою убедительность и все ищет что-то помогающее жить. Окончил несколько курсов в центре сайентологии, потом увлекся соционикой...

После института его забрали в армию. Засыпал меня письмами: «Мне плохо, гибну! Любым способом забери меня отсюда!» Забрать я не смогла, отслужил как полагалось. Из армии же написал мне письмо, переполненное выкладками соционики, о том, какие мы разные люди, какие у нас разные психотипы, какие сложные отношения...

После возвращения, на всплеске чувств после долгой разлуки, я забеременела, и все 9 месяцев мы прожили одни в квартире его родителей.

Лучшее время нашей жизни...

Днем работали, после работы вкуснюшка для Андрюшки, разговоры, прогулки... Но даже в это время случались ссоры, и он замыкался на недели и мог пребывать в таком состоянии бесконечно долго. Я не выдерживала, подходила сама, выспрашивала, выясняла... ВСЕГДА выходило так, что виновата я. Что же делать? — просила прощения, мирились...

— Чем отличались ваши детства?

— Я жила без отца, с мамой и бабушкой, воспитывали меня упорно и строго, но не наказывали, только пилили. Считаю свое детство не то чтобы счастливым, просто нормальным. Андрей же свое называет гулагом, концлагерем, не иначе.

Жил с отцом, матерью и младшей сестрой. В доме были сплошные скандалы, мать в конце концов спилась и умерла от цирроза печени ровно за 40 дней до нашей свадьбы... Андрей ходил в круглосуточный детсад, массу времени проводил во дворе. Там, рассказывал, его все время держала в страхе и унижении местная подростковая мафия. У нас во дворе, говорил, как был рабовладельческий строй, так и остался, и в государстве тоже...

— Как вы жили после рождения первого ребенка?

— Когда Аленка родилась, переехали к нам. В квартире его родителей к тому моменту собрались отец с новой женой и сестра, успевшая разочароваться в семейной жизни.

У меня очень властная бабушка, начались конфликты. Андрей приходил домой только ночевать. Потом разменяли квартиру... Вот в этот момент я что-то очень важное упустила в отношениях с ним...

— Что именно?.. Пыталась понять?

— Пыталась. По-моему, просто быт заломал, больше уже ни на что не хватало сил, ничего не хотелось...

Голый дом, который надо поднять, сделать жилым.

191

Ребенок: готовка, уборка, стирка, глажка... Андрей не помогал, только иногда неохотно делал чисто мужские дела — шкаф повесить, прокладки поменять... А в то же время пытался меня учить правильной жизни. «Ты не то все делаешь. Ты не так воспитываешь ребенка!»

Долго кормила грудью — 2 года 4 месяца, наверное, это истощило, начался кризис, депресняк жуткий, ревела днями и ночами, казалось, вот-вот сойду с ума...

— Обратилась к кому-то за помощью?

— Нет, просто в какой-то момент приказала себе: «Выживи. Займись собой, поднимись и стань сильной». Отдала дочку в садик и начала приводить себя в порядок: обливаться ледяной водой, бегать по утрам... Внимания Андрею уделяла минимум, ребенку побольше.

Андрей, как всегда, замкнулся, ушел в себя, но меня это уже так не волновало.

Жила как на автопилоте. Через полгода, как бросила кормить, опять забеременела...

Не хотела рожать, чувствовала, что не ко времени, но ослушаться судьбы не посмела... Уехала с дочкой и мамой из города в деревню к родне. Андрей накануне сменил работу, устроился в инофирму.

Когда вернулась, был уже пятый месяц беременности. Андрей вдруг приглашает меня посидеть в кафе. «Хочу тебе что-то рассказать...»

Была присказка, а теперь сказка.

Объявил мне: «Знаешь, я полюбил другую женщину. Но ты не волнуйся, тебя я тоже люблю. Семью я не бросаю. Да и у нас на фирме это не одобряется...»

Имярек — вот еще ее фотографии — офис-менеджер этой американской фирмы.

— М-да... Я бы не сказал, что красотка...

— Видела ее и в натуре, по многим параметрам проигрывает мне. Но зато свободна, живет одна: детей еще нет, мужа уже нет...

Я минут десять после его заявления молча сидела, опустив голову, все старалась унять подступившую тошноту... Потом говорю: «Ну ты видишь и понимаешь все сам. Я с пузом и с дитем, но вязать тебя не собираюсь. Претензий нет, ты свободен. Поступай как знаешь, только прошу: не ври и не таись, не веди двойной игры, держи меня в курсе...»

Он действительно влюбился: не ходил, а порхал. Был внимательным и нежным ко мне, обнимал, целовал и в постели был как никогда инициативен и ласков. С Имярек виделся каждый день в офисе, в выходные водил в рестораны и ночевал у нее. Я переживала страшно... даже близким не могла рассказать...

(Долгая пауза.)

...Вспоминала, оценивала, размышляла... И поняла: уже долгое время живу не то чтобы во сне, но будто в гипнозе: своих желаний практически нет, а желание того, кто рядом, — закон, и даже не потому, что это любимый муж, а просто сама я так запрограммирована.

Поняла, что еще до свадьбы видела в муже все те черты, от которых сейчас страдаю. Видела, но не хотела видеть...

— Отношения мужа и Имярек как-то развивались?

— Да, и не в его пользу. Окрыленная влюбленность постепенно сменилась растерянностью, смятением, потом явной депрессией, а потом полным отчаяньем. И для всего этого я стала исповедальной жилеткой. «ОНА параллельно крутит еще два романа... ОНА спит и с моим начальником, и с моим подчиненным... ОНА меня не любит. Я не хочу жить!.. Все, что меня держит ЗДЕСЬ (вкладывалось понятие: ЖИЗНЬ) — это дети!»

О-о-о, как хотелось отхлестать его по щекам с криком: «А как же я?!?!» Остановила себя: «Не будь стервой. Видишь: ему плохо, ему ДЕЙСТВИТЕЛЬНО плохо. Ты любишь его? Да. Тогда помоги ему!»

— Ульяна, твердое «да»?.. Никаких сомнений?

— Ну что вы, сомнение постоянное: чуть ли не каждый день задавала и задаю еще себе этот вопрос: «Любишь?», заглядываю вглубь души... И ответ: «Люблю».

Пузо росло, а я вела с Андреем затяжные ночные беседы. Он еще и привередничал: на некорректные, как он считал, вопросы не отвечал, на плохой вопрос и отвечал плохо. «Как дела?» — «Нормально». — «Ну расскажи мне что-нибудь» — «Спроси что-нибудь...»

Я совершенствов.ала искусство вести задушевные беседы: они Андрею были нужны как лекарство; зато я после них чувствовала себя как выжатый лимон...

Как-то не выдержала, рассказала о том, что происходит, своей маме. Она у меня теперь продвинутая, даже слегка поеханная по части эзотерики и восточных учений... Сказала мне: «Терпи, Уленька, это кармическая отработка...» Странно, не верю я ни в какие эти кармы, но почему-то стало полегче. А вы, доктор, знаете, почему?

— Знаю, но не скажу. Чтобы не спугнуть. Это фокус такой детский. (*Смеемся.*)

— Под новый год Андрей пришел как-то с работы поздно, совсем понурый и почернелый. Сел, уронил голову на стол и заплакал.

Подошла к нему, обняла. Глажу спину...

«Ну ты чего, что случилось?» — «Конец, все. Имярек сказала: "Ты не в моем вкусе"». — «Вот так, открытым текстом?» — «Вот так». — «И что, вешаться пойдем? Веревку намылить, или и так сойдет?» — «И ты еще издеваешься надо мной?!» — «Я люблю тебя, идиот». — «Да, я идиот». — «И к сожалению, в моем вкусе». — «Потому что и ты идиотка...»

Пережили и это. Тут я опомнилась, что рожать пора, и стала готовиться к появлению малыша: перестирывала, переглаживала, докупала... Андрей отошел на второй план. И однажды подступил ко мне с претензией. «Я тебе больше не нужен! Для тебя дети важнее! Ты меня используешь только как кормильца и как самца...»

Я остановилась, посмотрела ему в глаза и уже занесла руку, чтобы наконец отвесить пощечину — но увидела в его глазах пронзительный детский страх — и...

В этот самый момент у меня начались родовые схватки.

— Не довольно ли было всего, чтобы понять, что безудержный, наивный любовный альтруизм только растит хамский эгоизм другой стороны?..

— Я давно это поняла, но одно дело понять, а другое... поступать.

Когда родила, Андрея вдруг что-то проняло, спохватился: взял отпуск, каждый день прибегал в роддом, купил доски, стал делать кроватку для дочки на втором этаже, когда мы с сыном вернулись домой, он еще доделывал... Такой родной, домашний, деловитый!. В тот момент показалось: все, кончился страшный сон, началась жизнь. Мы рожали вместе, и дочку и сына... Он стал таким внимательным, заботливым...

Но ненадолго...

(Сдерживаемые слезы.)

...Вышел на работу, и все понеслось по-новой... Я перестала его уважать: уже послали тебя на три буквы, куда опять лезешь?

— Пробовала понять корни его эмоциональной зависимости от Имярек?

— Задавалась этим вопросом, даже маму спрашивала. Она свое: карма, прошлые жизни... Андрей же мне объяснял по своей соционике, что люди ее типа — какие-то особые дистанцеры, что ли, делают других либо своими преследователями, либо рабами, вот он и попался. И я попалась... *(Долгая пауза.)*

— Что же дальше?

195

Дальше все было ровно-печально. Сказал мне: «Я решил уравнять наши отношения: сколько инициативы идет с ЕЕ стороны, столько будет и с моей!» Со стороны Имярек инициативы не было, и Андрей впал в депрессию. Решил наконец сменить работу. А между нами все стало сухо и холодно...

Только на день рождения Андрей внезапно подарил мне ночь страстной любви.

А утром сказал: «Таких ночей могло бы быть больше». Я сперва не врубилась, а когда переспросила, он пояснил, что отношения со мной тоже «уравнял по части инициативы». Я возмутилась: «Что же ты не уравниваешь заботы по дому, хлопоты о детях?» — «Это разные вещи, не надо их смешивать».

Еще через несколько месяцев Имярек вдруг проявила долгожданную инициативу и вышла на связь. Позвонила и попросила Андрея встретиться. Весь скрюченный, настороженный, похромал на свидание. Вернулся какой-то странный, с кривой улыбкой на лице, одновременно и довольный, и жалкий...

Оказалось, теперь у НЕЕ проблемы с каким-то подонком покруче, чем она, и ОНА решила воспользоваться знаниями Андрея по соционике и сайентологии, представляете?.. ОНА ему начала плакаться в жилетку, а он ее утешать, учить, наставлять. Дурдом, да?

— М-м... Вроде того...

— Вот так мы и пришли ко дню сегодняшнему. Дней 10 назад Андрей предложил мне что-то вроде развода. «У нас с тобой разные интересы, мы идем разными путями. Будет лучше, чтобы наши дороги разошлись и пошли параллельно... Официально развод можно не оформлять, я буду жить поблизости, допустим, в соседней квартире, буду уводить-приводить из сада дочь, покупать продукты, бывать с вами когда МНЕ захочется, а потом уходить в свою квартиру отдыхать».

Я спросила: «А насчет меня ты подумал? Насчет того, что мне нужна любовь, ласка нужна, внимание, секс, в конце концов...» — «А ты уверена, что хочешь этого именно от меня?» — «Не знаю, не пробовала...» — «Ну тогда попробуй».

Смотрит на мою реакцию. Я уже изучила его провокационные штучки и знаю — он ждет моей следующей фразы: «Не хочу, не могу пробовать, люблю только тебя, хочу только тебя». Я ему это уже много раз говорила, и вполне искренне. А теперь не сказала.

Потому что уже так не думаю, так не чувствую. Все. Рубеж перейден.

— Что-то новое появилось на горизонте?

— Нет, нового человека еще на примете нет, для меня это не просто, я тяжеловесно устроена — не мотылек, с цветка на цветок не летаю... Просто прошел этот гипноз безграничного самопожертвования, кончились ресурсы... Теперь я знаю, чего Я САМА хочу, не тороплюсь угождать и ничего не боюсь: ни одиночества, ни финансовых трудностей.

Главное, чего я хочу сейчас, это чтобы рядом со мной был человек родной, любимый и любящий. Андрей таким человеком пока еще может быть. Но не хочет или просто не понимает... Гнет какую-то свою линию, ведет свою игру и удивляется, что все идет не по плану, не так, как он ждет...

— Но что же это за линия, что за игра такая?

— Об этом я и хотела у вас спросить.

— Хорошо, Ульяна, эту игру я попробую обозвать. Например, так: «Будь моей мамочкой бесплатно, а я тебя за это укушу.» Похоже? *(Смеемся.)*

Андрей заметил, что изменилось что-то?..

— Да, спросил: «Ты уже изменила мне?» — «Ага, — говорю, — изменила. Только не помню, когда и с кем, во сне это было». — «Ты с ума поехала, у тебя крыша съехала». — «Может быть. Только я теперь человек свободный. Вот и вся измена моя».

По-моему, он так и не понял, о чем я... У меня и правда к нему что-то вроде материнской любви к несчастному, глупому, невменяемому сынку, который уже никогда не повзрослеет. Или есть все же шансы?..

— Пожалуй, потребуется еще пяток-другой лет, если не вся жизнь, которой может и не хватить. Но думаю, уже в скором времени он сильно пожалеет о том, КОГО И ЧТО потерял.

Ульяна, мы разобрались в чем-то?.. Или еще нет?..

— Я хотела проверить, свободна ли я уже. Уверенности прибавилось, но...

— Вполне свободен один только Господь Бог, и только благодаря тому, что вполне занят...

Я долго убивал твою любовь...
Оставим рифмы фирменным эстетам —
не «кровь», не «вновь» и даже не «свекровь»;
не ядом, не кинжалом, не кастетом —
нет, я повел себя как дилетант,
хотя и знал, что смысла нет ни малости
вязать петлю как карнавальный бант,
что лучше сразу придушить, из жалости...

Какая блажь — ребенка закалять,
ведь каждый изначально болен смертью.
Гуманней было сразу расстрелять,
но я тянул, я вдохновенно медлил
и как-то по частям спускал курок,
в позорном малодушии надеясь,
что скучный господин по кличке Рок
еще подбросит свежую идею.

Но старый скряга под шумок заснул;
любовь меж тем росла как человечек,
опустошала верности казну,
и казнь сложилась
из сплошных осечек —
курок звенел, и уходила цель,
и было неудобно догадаться,
что я веду с самим собой дуэль,
и мой противник не желает драться.

Я волновался.
Выстрел жил лет пять,
закрыв глаза и шевеля губами...

— Чему смеешься?..
— Рифмы нет опять
и очередь большая
за гробами...

НИЧЕГО НЕ СЛУЧИТСЯ

Бог сохраняет все; особенно — слова
прощенья и любви, как собственный свой голос.
В них бьется рваный пульс, в них слышен костный хруст,
и заступ в них стучит; ровны и глуховаты,
затем что жизнь — одна, они из смертных уст
звучат отчетливей, чем из надмирной ваты...

Иосиф Бродский

❦

**Право на смерть и обратно
Обмен душами: счастье было ими самими...**

...Они думали, что это их не постигнет.

Были гармоничны по статям и темпераментам, оба сведущи и щедры. Но, еще свежие и сильные, все чаще обнаруживали, что не жаждут друг друга. Они знали на чужом опыте, что все когда-то исчерпывается; все, о чем могут поведать объятия и прикосновения, все эти ритмы и мелодии скоро ли, медленно ли выучиваются наизусть, приедаются и в гениальнейшем исполнении, — знали, что так, но когда началось у них... Какие еще открытия? И зачем?..

Наступает время, когда любовь покидает ложе, а желание еще мечется. Две души и два тела — уже не квартет единства, а распадающиеся дуэты. И тогда выбор: вверх или вниз. Либо к новому целомудрию дружбы душевной, либо к старой привычке...

Далее ширпотреб — измена, но иная верность хуже измены. Признание в утрате желания казалось им равносильным признанию в смерти. И они молчали и замерзали, они желали желания...

*П*раво на смерть и обратно

...Летним вечером в воскресенье цветущий тридцатисемилетний мужчина К. вошел в гараж, где стояла его «Лада». Дверь изнутри не запер. Сосед нашел его висящим на лампоровом крючке. Вызвал «скорую».

Через некоторое время после реанимации, в соответствующей палате соответствующего учреждения мне, консультанту, надлежало рекомендовать, переводить ли К. в еще более соответствующее учреждение, подождать, полечить здесь или... Он уже ходил, общался с соседями, помогал медбрату и сестрам. Интересовался деликатно — кто, как, почему... Вошел в контакт с симулянтом, несколько переигравшим; пытался даже перевоспитать юного наркомана.

Все записывалось в дневник наблюдения, так что я знал, что встречусь с личностью не созерцательной.

Крупный и крепкий, светлоглазый, пепельно-русый. Лицо мягко-мужественное, с чуть виноватой улыбкой. Вокруг мощной шеи желтеющий кровоподтек *(хорошие мускулы, возможно, спасли...)*.

— Спортсмен?..

— Несостоявшийся. *(Голос сиплый, с меняющейся высотой: поврежден кадык.)*

— Какой вид?

— Многоборье. На кандидате в мастера спорта спекся.

— Чего так?

— Дальше уже образ жизни... Фанатиком нужно быть.

— Не в натуре?

— Не знаю.

Психически здоров. Не алкоголик. На работе все хорошо. В семье все в порядке. Депрессии не видно.

— ...с женой?.. Перед... Нет. Ссоры не было.

— А что?

— Ничего.

— А... Почему?

— Кх... кх... *(Закашлялся.)* Надоело.

— Что?

— Все.

С ясным, открытым взглядом. Спрашивать больше не о чем.

— Побудете еще?..

— Как подскажете. Я бы домой...

— Повторять эксперимент?

— Пока хватит. *(Улыбается хорошо, можно верить.)* Только я бы просил... Жена...

— Не беспокойтесь. Лампочку вкручивал, шнур мотал? Поскользнулся нечаянно?..

Существует неофициальное право на смерть. Существует также право, а для некоторых и обязанность, — препятствовать желающим пользоваться этим правом.

Перед его выпиской еще раз поговорили, ни во что не углубляясь. После выписки встретились. Побывал и у него дома под видом приятеля по запчастям. Достаток, уют, чистота.

Весь вечер я пытался вспомнить, на кого похожа его супруга. Всплыло: на нашу школьную учительницу физики Е. А., еще не пожилую, но опытную, обладавшую талантом укрощать нас одним лишь своим присутствием. Это она первая с шестого класса начала называть нас на «вы». Превосходно вела предмет. На уроках царили организованность и сосредоточенная тишина. Но на переменах, хорошо помню, драки и чрезвычайные происшествия чаще всего случались именно после уроков физики, подтверждая законы сохранения энергии.

Однажды отличился и я. Несясь за кем-то по коридору как полоумный, налетел на Е. А., чуть не сшиб с ног, сбил очки, стекла вдребезги. Очень выпуклые, в мощной оправе, очки эти, казалось нам, и давали ей магическую власть...

Любопытствующая толкучка; запахло скандальчиком. Я встал столбиком, опустив долу очи. «Так, — сказала Е. А. бесстрастно, выдержав паузу (она всегда начинала урок этим «так»). — Отдохните, Леви. Поздравляю вас. Теперь я не смогу проверять контрольные. Соберите это. И застегнитесь».

Толпишка рассеялась в восторженном разочаровании. А я, краснея, смотрел на Е. А. — и вдруг в первый раз увидел, что она женщина, что у нее мягкие волосы цвета ветра, а глаза волнистые, как у мамы, волнистые и беспомощные...

У жены К. чуть усталая ирония, ровность тона, упорядоченность движений.

Угощала нас прекрасным обедом, иногда делая К. нежные замечания: «Славик, ты, кажется, хотел принести тарелки. И хлеб нарезать..., По-моему, мужская обязанность, как вы считаете?.. Ножи Славик обещал наточить месяц назад». — «Ничего. Тупые безопаснее», — ляпнул я.

Пятнадцатилетний сын смотрел на нас покровительственно (ростом выше отца), тринадцатилетняя дочь — без особого любопытства. Все пятеро, после слабых попыток завязать общую беседу, углубились в «Клуб кинопутешествий». «Глава семьи», — улыбнулся К., указывая на телевизор.

Этого визита и всего вместе взятого было, в общем, достаточно, чтобы понять, что именно надоело К. Но чтобы кое-что прояснилось в деталях, пришлось вместе посидеть в кафе «Три ступеньки». Сюда я одно время любил захаживать. Скромно, тихо, без музыки; то ли цвет стен, то ли некий дух делал здесь людей какими-то своими и симпатичными.

Я уже знал, что на работе К. приходится за многое отвечать, что подчиненные его уважают, сотрудники ценят, начальство благоприятствует; что есть перспектива роста, но ему очень не хочется покидать своих, хотя работа не самая интересная и зарплата могла быть повыше.

Здесь, за едва тронутой бутылкой сухого, К. рассказал, что его часто навещает мать, живущая неподалеку; что мать он любит и что она и жена, которую он тоже любит, не ладят, но не в открытую. Прилично и вежливо. Поведал и о том, что имеет любовницу, которую тоже любит...

Звучало все это, конечно, иначе.

Смеялись, закусывали...

Подтвердилось, что:

➻ с женой К. пребывает в положении младшего — точнее, Ребенка, Который Обязан Быть Взрослым Мужчиной;

➻ не подкаблучник, нет, может и ощетиниться, и отшутиться, по настроению, один раз даже взревел и чуть не ударил, но с кем не бывает;

➻ а характер у жены очень определенный, как почти у всех жен, — стабильная данность, с годами раскрывающаяся и крепнущая; образцовая хозяйка, заботливая супруга и мать, толковый специалист; живет, как всякая трудовая женщина, в спешке и напряжении, удивительно, как все успевает;

➻ любовь, жалость и забота о мире в доме требуют с его стороны постоянного услужения, помощи и сознательных уступок, складывающихся в бессознательную подчиненность; тем более что жена и впрямь чувствует себя старшей по отношению к нему, не по возрасту, а можно сказать — по полу;

➻ да, старший пол, младший пол — далеко не новость и не какая-то особенность их отношений: старшими чувствуют себя ныне почти все девочки по отношению к мальчикам-однолеткам, уже с детского сада, а в замужестве устанавливается негласный матриархат или война;

➤ за редкими исключениями женщина в семье не склонна к демократии; разница от случая к случаю только в жесткости или мягкости;

➤ а у К. случай мягкий, исключающий бунт;

➤ как у многих мужей, справедливо лишенных патриархальной власти, быть Младшим в супружестве его понуждает уже одна лишь убежденность жены, что гнездо, домашний очаг — ее исконная территория, где она должна быть владычицей;

➤ с этой внушающей силой бороться немыслимо, будь ты хоть Наполеоном;

➤ тем более что и мать внушает ему бытность Ребенком, Который Все Равно Остается Ее Ребенком;

➤ сопротивляться этому и вовсе нельзя, потому что ведь так и есть, и для матери это жизнь, как же ей не позволить учить сына, заодно и невестку...

Я перебивал, рассказывал о своем. Как обычно: одного видишь, а сотни вспоминаешь — не по отдельности, но как колоски некоего поля... К. умолкал, жевал, улыбался; снова повествовал о том,

➤ как мать и жена постоянно соперничают за власть над ним и посреди их маневров он не находит способа совмещать в одном лице Сына и Мужа так, чтобы не оказывалась предаваемой то одна сторона, то другая;

➤ на работе он от этого отдыхает — хотя и там хватает междоусобиц, они иные, и он, начальник над многими, умеет и командовать, и быть дипломатом, и бороться, и ладить;

➤ но тем тяжелее, приходя домой, перевоплощаться из Старшего, Который За Многое Отвечает,

- ➤ в Младшего, Который Все Время Должен Находить Способы Быть Старшим;
- ➤ от этих перепадов накапливается разъедающая злость на себя, и особенно потому, что быть одновременно Младшим с женой и матерью, как требуется, и Старшим с детьми — дохлый номер: дети не слепы, неавторитетный папа для них не авторитет; не отцовство выходит, а какое-то придаточное предложение;
- ➤ тем приятнее с любовницей, которая моложе, жить в образе покровителя, Сильного Мужчины;
- ➤ секс в этих отношениях играет не последнюю скрипку, машина и сберкнижка тоже кое-что значат, поэтому приходится пускаться на подработки;
- ➤ любовница необходима ему и затем, чтобы вносить в жизнь столь недостающий бывшему мальчику, Потомку Воинов и Охотников, момент тайны и авантюры, а также
- ➤ чтобы контрастом освещать достоинства супруги, уют и прелесть дома;
- ➤ и это не исключительное, а знакомое и женщинам положение, когда связь на стороне усиливает привязанность к своему;
- ➤ тем тяжелее, возвращаясь домой, смотреть в глаза, обнимать, произносить имя — не лгать, всего лишь забывать одну правду и вспоминать другую...

Он верил, что все наладится, — только прояснить что-то, из чего-то вырваться, к чему-то пробиться...

То порывал с любовницами, то ссорился на ровном месте с женой (обычно как раз в периоды таких стоических расставаний); то отчуждался от матери и на это время обретал особую решимость заниматься детьми, рьяно воспитывал — но сближение и здесь вело к положению, когда не о чем говорить.

Уходил с головой в работу, отличался, изобретал, рос карьерно, изматывался до отупения — брался за здоровье и спорт; но здоровье усиливало томление духа, и кончалось чаще всего новым ни к чему не ведшим романом.

«Люби природу и развивай личность», — внушали разумные. Ходил в горы, занимался фотоохотой, кончил курсы английского, выучился на гитаре, собрал библиотеку, которую не прочесть до конца жизни. Учился не стервенеть, погружаясь в ремонты, покупки, обмены, судебные тяжбы...

В машине ковырялся с удовольствием, стал недурным автомехаником, пытался приохотить сына. Помогал многим, устраивал, пробивал, возил, доставал, выручал, утешал, наставлял на путь...

После скоропостижной смерти друга попытался запить — не вышло. Ни алкоголь, ни прочие жизненные наркотики не забирали до отключения. Сосредотачиваться умел, но ограничиваться — то ли не желал, то ли не смел. Что-то жаждало полноты...

Был момент в разговоре, когда он вдруг весь налился темной кровью, даже волосы почернели. И голос — совсем другой — захрипел:

— А у вас побывамши, я вот чего... Не пойму, док, не пойму!.. Ну больные, ну психопаты. Жертвы травм, да? Всяких травм... Я поглядел, интересные есть трагедии. А вот как вы, док, терпите сволочных нытиков, бездарей неблагодарных, которые на себя одеяла тянут? Мировую скорбь разводят на пустоте своей, а?.. Как вас хватает? Помощь им подавай бесплатную да советчиков на все случаи, жить учи, да не только учи, а живи за них, подноси готовенькое, бельишко постирай! Знаю, знаю таких — а сами только жрать, ныть и балдеть! Слизняки ползучие!..

— Кто душу-то натер?

— Да у меня ж распустяй Генка растет, мелочь, балдежник. И Анька... Ни черта не хотят, ни работать, ни учиться, а самомнения, а паразитства...

Отошло — разрядился. Приступы такие бывают после клинической смерти. *Ему нужно было обязательно рассказать мне о друге...*

— Заехал к нему навестить как-то в праздник, движок заодно посмотреть у «москвичишки» его, мне лишь доверял. Издевался: «И что ты, Славей, всех возишь на себе, грузовик, что ли? Чужую судьбу не вывезешь, свою и подавно». — «Не учи ученого, — отвечаю. — А ежели не везет грузовику, значит, не тот водитель». — «Нет, — говорит, — не везет, значит, везет не туды... Не в ту степь».

Захожу — вижу СОСТОЯНИЕ. Вот если бы знать... Ну что, говорю, Сергуха, давай еще раз оженимся, рискнем, а? Есть у меня для тебя красивая.

У него уже третий брак развалился. После каждого развода капитальный запой. Тридцать пять, а седой, давление скачет. Вешались на него, однако не склеивалось, то одно, то другое, хотя и характер — золото, и трудяга, и из себя видный...

Я-то знал, что не склеивалось у них с ним. Любовь такую давал, которой взять не могли...

Под балдой на ногах уверен, незнакомый и не заметит, глаза только мраморные. Умел культурно организовываться, на работе ни сном ни духом.

«Слышь, — говорю, — начальник, ну давай наконец решим основной вопрос. Что в жизни главное?» Всегда так с ним начинал душеспасение.

А он одно, как по-писаному: «Главное — красота. Понял, Славче? Главное — кр-расота». — «Согласен, — говорю. — А теперь в зеркало поглядим, на кого похожи из домашних животных». Подставляю зеркало, заставляю смотреть до тошноты.

Пьяные не любят зеркал. Сопротивляется — врежу. И дальше развиваем...

А тут вдруг сказал жуть. Как-то поперхнулся, что ли. Смотрит прямо и говорит: «Главное — ТРАТА-ТА...» — «Чего-чего? — спрашиваю. — Ты что, кашу не дожевал?» Он: «Тратата, Славик, главное — тратата...» И замолчал. «Ты что, задымился? Случилось что?» — «Я? Я ни... не...» — «Язык заплетается у тебя, вот чего. Что лакал?..» Глаза на бутылки пялит: что и обычно. «Что ты сказал, — спрашиваю, — повтори». — «Что слышал, то и сказал. А что ты пристал? Я в порядке». — «В порядке? Ладно, — говорю, — движок твой сегодня смотреть не будем. За руль тебе — как покойнику на свадьбу». «Извини, Слав. Я в порядке. Все... О'кей. Я не в настроении, Слав. Тебе со мной... Скучно будет. Один хочу... Сегодня же завяжу. Вот не веришь, а я клянусь мамой. Ничего не случилось, Слав. Только мне одному... Посидеть нужно». — «Ладно, — говорю, — я поехал. Смотри спать ложись. Понял?»

Выхожу. Мотор не заводится, не схватывает зажигание. Будто в ухо шепнули: «Не уходи». Выскочил. А он из окна высунулся, рукой машет, уже веселый. «Порядок, Славей, езжай. Ну, езжай, езжай. НИЧЕГО НЕ СЛУЧИТСЯ». Погрозил ему кулаком, завелся. Поехал. Утром следующего дня его не стало. Инсульт.

Он повествовал о связочных узлах своей жизни, о паутине — чем сильнее рвешься, тем прочней прилипаешь. Концов не найти — не сам делаешь мир. Не сам и себя делаешь, доводка конструкции, в лучшем случае... С детства еще бывали мгновения, похожие на короткие замыкания, когда от случайных соединений каких-то проводков вдруг страшная вспышка и все гаснет. Не знал, что так у всех...

Перед посещением гаража ровным счетом ничего не случилось. Сидел дома, вышел пройтись, заодно позвонить... В гараж, в гараж... Проверить уровень масла, кажется, тек бачок...

Зажег свет и увидел паука.

Обычная паучья побежка в теневой уголок — застыл там, как кусочек грязи, полагая себя в безопасности. Всю жизнь терпеть их не мог, но не убивал никогда: кто-то сказал еще маленькому, что убивать пауков нельзя, плохо будет, произойдет что-то. Тварь мелкая, но вот поди ж ты, привилегии. А вдруг...

Захотелось не жизни лишить ничтожной, а чужое что-то, в себе засевшее...

Хлоп. Нет паука. Даже мокрого места нет.

Ничего не случилось.

Взгляд на потолок.

Шнур... «Нашего бы шнапса, вашего контакса» — бесовская мразь из какого-то сна. Почему сейчас?.. Крюк кривой, крепкий крюк, сам всаживал, крошил штукатурку. Все в пыли, убираться надо. Крыло левое подкрасить, подрихтовать бампер...

И вдруг — все-все, хватит... Ясно, омерзительно ясно. НИЧЕГО НЕ СЛУЧИТСЯ — вот так, хлоп, и все. Устоит мир, и его не убудет. И утешатся, да-да, все утешатся и обойдутся, и ничего не случится...

— Послушай (*незаметно перешли на «ты»*), я не вправе... Я уже не как док... Почему бы не... Имею в виду решительность... Почему бы не вырваться...

— Развестись? Уйти к этой? С ума еще не сошел. Ленива — раз, деньги любит — два, готовить не умеет — три. Постель — эка невидаль... Пылинки снимает...

Я разумел не смену подруги, у меня не было конструктивной идеи. Через некоторое время К. сообщил мне, что продал автомобиль и собирается в трехгодичную командировку на дальнюю стройку. Семья осталась в Москве. Любовница тоже.

Он обещал писать, но я знал, что писем не будет...

211

о как близко мы встретились
как далеко остаемся
в Вечной Книге отметились
снова и снова сольемся

навязали узлов навязали узлов
непомерную груду
   больше ласковых слов
   я не буду тебе я не буду

и что ж говорю я и что ж
что в болотце твоем
столько всяких дремучих уродцев
помрешь говорю ты помрешь
   если с этим народцем
   затеешь бороться

ты лучше им хитрых послов
лучше ласковых слов
посылай им побольше
как бомжу наркотик колоться
   и смилуйся ради Христа
   потому что расста
ведь придется расста
   ведь придется

Сонное пойло комфорта и кайфа.
Ветхая ветошь задохшихся душ.
Вечный сквозняк и промокшая майка.
Кожа да кости, да бывший твой муж.

Здравствуй. Ну здравствуй. Какими тропами
вторглась, исторглась?.. Какой мостовой
ныне бредешь?.. Поливаешь ли память
мертвой водою или живой?

Даже и веруя в дивное диво,
скажет себя уважающий волк:
жалость — позор, утешение — лживо,
боль — справедлива, отчаянье — долг.

Здравствуй. Пока еще каплет в простенке
писем моих затихающий дождь,
будешь как девочка на переменке:
в зеркальце глянешь и дальше пойдешь.

Кто-то живет, а кому-то осталось
искры ловить у чужого огня.
Ночь надвигается.
Спи, моя радость,
спи, и да здравствуешь ты без меня.

Обмен душами
из ответа молодому супругу

N. N., последнее ваше письмо написано в слишком уж непечатном состоянии, рисковал вас добить.

Отдышались?.. Согласен, что тренингом с проблемами жизни, супружеской в особенности, не управиться и что недостаток, как вы выразились, технологии отношений всегда застигает врасплох, портит печень и прочее, ну, и, конечно, сами отношения.

Спрашиваете, не поздно ли брать на себя миссию Руководителя Отношений, Старшего, Лидера?..

Ответ: никогда не поздно и никогда не рано, если только не афишировать эту должность. Вот-вот, здесь и прокол ваш: требование видимости взамен сути.

Припоминаю случаи, когда Старшими в семействах оказывались дети. Один шестилетний мальчишка, когда его родители подали на развод, несколькими тонкими маневрами взял инициативу в свои руки, помирил их и далее вожжи не выпускал; они даже не поняли, посчитали, что снова влюбились. Занятный сюжет?.. Не вундеркинд, нет...

Старшинство истинное, оно же зрелость душевная, не связано напрямую ни с возрастом, ни с превосходством в опыте, образовании или интеллекте в привычном употреблении слова. Все это может идти и в минус, и в плюс; главное здесь — *позиция:* принятие зрелых ценностей и ответственности...

Не афишировать... Догадываетесь? Другой половине человечества даем такую же рекомендацию.

...Вашу предпоследнюю ссору (ссоры всегда предпоследние) вы назвали «кризисом» — точно, вполне по-врачебному. Отношения, супружеские в том числе, — существа самостоятельные: устающие и болеющие. Кризисы — их реакция на скопление ядов...

Мне придется лишить вас упований и на технологию отношений в том понимании, какое вы в это вносите... Видите ли, здоровым людям старше двенадцати лет я никогда не отвечаю на вопросы:

Что (с ним, с ней) делать? Как убедить, внушить, повлиять, воздействовать? Как добиться, воспрепятствовать, не допустить?..

Все эти вопросы из вашего письма я вычеркиваю.

«Так ведь ничего больше не остается!» — воскликнете с разочарованием вы.

Остается. И как раз главное и единственно ценное. Манипуляторские головоломки вам не решить, ухищрения не помогут. Помочь может совсем иное...

...Расскажу про Двоих, которым я восторженно завидую до сих пор, хотя их давно нет в живых.

Они прожили вместе около тридцати лет. Он музыкант, она школьный учитель. Материальная сторона существования была скромной, если не сказать плачевной. Нужда, неустройства, болезни. Из трех детей потеряли двоих, третий оказался душевнобольным (я был его доктором).

Два сложных характера, два сгустка истрепанных нервов: один взрывчат, неуравновешен, другой подвержен тяжелым депрессиям. Интересы значительно различались, интеллектуальные уровни относились как один к полутора, то ли в ее, то ли в его пользу, не важно. Главное — это был тот случай, когда счастье не вызывало ни малейших сомнений.

Счастье было ими самими.

Вы спросите, что же это за уникальный случай?

Они умерли почти в один день, называть имена не имеет смысла. Что же до сути, то здесь кое-что вспомнить и подытожить можно.

215

Забота о духе. Не о загробном существовании, нет, исключительно о земном. Можно было бы сказать и «забота об отношениях», но к этому не сводилось. Скажу, пожалуй, еще так: у них была абсолютно четкая иерархия ценностей, точнее — святыня, в которой абсолютно взаимным было только одно...

Такие вопиющие безобразия, как пустой холодильник, непришитая пуговица или невымытая посуда, обоих волновали в одинаково минимальной степени, а такие мелочи, как нехватка хороших книг или музыки, — в одинаково максимальной. Каждый хорошо понимал, что второго такого чудака встретить трудно, и поэтому они не боялись проклинать друг дружку на чем свет стоит. В доме можно было курить, сорить, орать, сидеть на полу, тем паче что стул был один на троих. У них жили собаки, кошки с котятами, черепаха, сто четырнадцать тараканов, попугай и сверчок. Могу прибавить и такую подробность: в физическом отношении они не составляли даже и отдаленного подобия идеальной пары и относились к этому с преступнейшей несерьезностью.

Юмор. Не то чтобы все время шутили или рассказывали анекдоты, скорее, просто шутя жили. Анекдоты творили из собственной жизни. Смеялись негромко, но крайне инфекционно и, по моим подсчетам, в среднем в тринадцать раз превышали суточную норму на душу населения.

Свобода. Никаких взаимообязанностей у них не было и в помине, они этого не понимали. Никаких оценок друг другу не выставляли — вот все, что можно сообщить по этому пункту.

Интерес. «Как себя чувствуешь?», «Как дела?», «Что у тебя нового?» — подобных вопросов друг другу не задавали. Будь он хоть за тридевять земель, она всегда знала, в каком он настроении, по изменению своего, а он понимал ее намерения по своим новым мыслям. Интерес друг к другу для них был интересом к Вселенной, границ не существовало.

Игра. Играли всю жизнь, жадно, как дети.

Когда она была молодой учительницей и теряла терпение с каким-нибудь обормотом, то часто просила его после краткого описания сыграть такого обормота, сыграть в рече-жестовом изображении и в музыкальном — личность актера и персонажа, слагаясь в импровизации, вызывала колики смеха. Менялись ролями, выходило еще забавнее. Ученики часто ходили к ним в дом, устраивали спектакли...

У них гостило все человечество, а кого не хватало, придумывали. К ста пятидесяти семи играм Гаргантюа еще в юности добавили сто пятьдесят восемь собственных. Они играли:

➻ в Сезам-Откройся,
➻ в Принца-Нищенку,
➻ в кошки-мышки,
➻ в черных собак,
➻ в Соловья-Разбойника,
➻ в Черт-возьми,
➻ в рожки-да-ножки,
➻ в катись-яблочко,
➻ в Дон Кихота и Дульсинею Тобосскую, нечаянно вышедшую замуж за Санчо Пансу,
➻ в каштан-из-огня,
➻ в не-сотвори-кумира,
➻ в абракадабру,
➻ в Тристан-Изольду,
➻ в обмен душами,
➻ в Ужасных Родителей Несчастных Детей,
➻ в наоборот, переставляя эпитеты,
➻ в задуй-свечку...

Они ссорились:

⇒ как кошка с собакой,
⇒ как Иван Иванович с Иваном Никифоровичем,
⇒ как мужчина с мужчиной,
⇒ как женщина с женщиной,
⇒ как Буратино с еще одним Буратино,
⇒ как два червяка, как три червяка, как четыре, пять, шесть, семь червяков, только что прибывших из Страны Чудес,
⇒ как два носорога, считавших себя людьми,
⇒ как Ромео с Джульеттой в коммунальной квартире,
⇒ как двое на качелях,
⇒ как двое в одной лодке, считавших себя собаками, которые считают себя людьми,
⇒ как два дебила, заведующих одной кафедрой,
⇒ как два психиатра, ставящих друг другу диагнозы...

Ссориться как муж и жена им было некогда...

Ночная песня

слова Владимира Леви,
музыка Владимира и Максима Леви

А вдруг получится прозреть
лишь для того, чтобы увидеться,
в глаза друг другу посмотреть
и помолчать, и не насытиться...

А не получится — пойдем
в далекое темно
и постучимся в тихий дом,
где светится окно.

И дверь откроется, и нас
хозяин встретит так обыденно,
что самый умудренный глаз
не разглядит, что он невидимый.

И мы сгустимся у огня,
и сбудется, точь-в-точь:
ты путешествуешь в меня,
а я в тебя и в ночь...

Консилиум — послесловие перед новой книгой

ВЛ — Коллеги, мы на последней странице...

ТЮС — ...а будто бы только начали, только-только разогрелись, вошли во вкус...

ДС — Я-то, честно скажу, подмерз. До моей темы «Дети в семейных войнах» практически не дошли.

АРТ — Все валить в одну кучу ограниченного объема — не дело. Кто нам мешает продолжить?

ГИД — Друг-писатель жаловался: толстую книгу трудно прочесть, а тонкую трудно написать — так, чтобы было что прочесть...

ВЛ — Я эту задачу пытаюсь решить повышением плотности текста; но для усвояемости нужна и водичка, и воздух...

ТЮС — ...и травки-приправки в виде стихов, афоризмов, рисунков, эпиграфов, анекдотов...

ДС — Подлинные жизненные истории иной раз настолько анекдотичны, что читателю кажутся произведениями авторского воображения.

АРТ — И все равно жизнь богаче. Вообразишь самый невероятный случай, а он тут как тут...

ГИД — Я согласен быть произведением вашего воображения, уважаемый автор, при том условии, что и вы соглашаетесь быть произведением моего.

ТЮС, ДС, АРТ — Присоединяемся.

ВЛ — На том и порешим, точку не ставим. Сказав друг другу спасибо даже и на тот случай, если мы все — лишь чьи-то образы и подобия, простимся с читателем до продолжения этой книги: оно уже пишется ➤

! СКОРО !
2-СЕМЕЙНЫЕ ВОЙНЫ-2

Новые пласты бесконечной темы на материале конкретной практики. Та же основная задача: помочь читателю избежать ошибок, которых избежать можно, и/или исправить уже сделанные.

Подробно

➤ о сексуальных проблемах супружества;

➤ о скуке в семье и о том, как ее побеждать;

➤ о насилии и вранье — как быть с этим в семье, как идти к тому, чтобы этого не было;

➤ о технике безопасности при выяснении отношений;

➤ о том, как страдают дети под перекрестным огнем семейных баталий и как их от этого уберечь;

➤ о том, как вести себя в случаях, когда с вами в семье оказывается человек больной, душевнобольной, психопат, алкоголик, ревнивец;

➤ и что делать, если такой человек — вы сами;

➤ о грамотных расставаниях, о достойных разводах,

➤ о возвращениях ложных и истинных;

➤ рецепты Доктора Отболита: как пережить потерю;

➤ о семьях послеразводных, о семьях разбитых — как дальше жить и как начинать с новых начал...

Владимир Леви
продолжение следует

в серии *«Азбука здравомыслиЯ»*
издательства «Метафора»
в ближайшее время выйдут книги Владимира Леви:

 ## ШКОЛА САМОЧУВСТВИЯ
сам себе тренажер

Самоучитель душевного и телесного здоровья, тонуса и жизнестойкости. Практическое ядро — тонопластика, оригинальная система доктора Леви. Спасла и оздоровила тысячи людей.

ЛЕКАРСТВА ОТ ЛЕНИ
как примирить Хочу и Надо
Секреты активной жизни.

Способы перевода «Надо» в «Хочется» и наоборот.
Учение о нехотяях.
Как развить настоящую силу воли.
Как научиться работать легко и весело

Издательство «Метафора» представляет
«ПОСОВЕТУЙТЕ, ДОКТОР!»
здоровье для всей семьи
Подписной толстый журнал, выходит два раза в год.

Популярная медицина для всех. Множество техник самооздоровления. Советы лучших специалистов во всех областях медицины, психотерапии и психологии. Подписаться на журнал можно в любом почтовом отделении России по каталогу Агентства Роспечать **«Газеты. Журналы»**. Индекс: 73081.

Владимир Леви
придет к вам домой

в подписном альманахе
ИСКУССТВО БЫТЬ СОБОЙ
конкретная психология
Альманах выходит два раза в год.
Здесь весь Леви — практикум мастерства жизни.
Подписка в любом почтовом отделении
в **сентябре—ноябре** и **апреле—мае**
по каталогу Агентства Роспечать **«Газеты. Журналы».**
Поиск по алфавиту на букву **«И»**
или по одному из двух индексов: 79760 или 79960
Приобретать альманах можно и через выпускаю-
щее его издательство «ТОРОБОАН».
Интернет-сайт Владимира Леви: **www.levi.ru**

НОВОЕ
ИСКУССТВО БЫТЬ ДРУГИМ
путеводитель общения

Знаменитый бестселлер Владимира Леви, обнов-
ленный, переработанный. На материале психологической практики автор преподает искусство общения
и взаимопонимания в повседневной жизни, личной и
деловой, профессиональной и семейной. Для всех
возрастов и характеров.

Спрашивайте в книжных магазинах России!
Все книги Леви можно заказывать в интернет-магазине
«Болеро» — www.bolero.ru.

Серия «Азбука здравомыслиЯ»
Владимир Леви
СЕМЕЙНЫЕ ВОЙНЫ

Лицензия ЛР № 061823 от 23 ноября 1992 г.
Подписано в печать 18.04.03
Формат 84×108^1/$_{32}$. Бумага газетная. Печать офсетная.
Усл. печ. л. 11,76. Уч.-изд. л. 7,61. Тираж 35 500 экз.
Зак. тип. № 4323.

Издательство «Метафора»
Для писем: 103001, Москва, ул. Малая Бронная, 28/2.
Издательство «Метафора».
Тел: **(095) 202–48–58.**

Отпечатано с готовых диапозитивов
в полиграфической фирме «КРАСНЫЙ ПРОЛЕТАРИЙ»
103473, Москва, ул. Краснопролетарская, 16

Персональный сайт Владимира Леви:
www.levi.ru